실력도 **탑!** 재미도 **탑!**

사고력 수학의 으뜸

TOP 사고력 수학

D2

이 책의 목차

TOP 사고력 수학의 특징

TOP사고력 수학 A/B 시리즈 는 수학 경시 대회와 영재교육원을 대비하여 꼭 알아야 할 교과서 밖 수학 개념과 실전 문제로 학생을 최상위권으로 이끌어줄 교재입니다.
보통의 상위권 실전 문제집들이 주제별로 적은 수의 문제를 나열하는 구성이라면 TOP사고력 수학은 풍부한 개념과 여러 가지 문제해결의 원리를 캐릭터들과 함께 재미있게 살펴본 후, 유형별로 충분히 연습할 수 있도록 하였습니다. 더불어 "사고력 쑥쑥" 이라는 이름의 별도 구성을 두어 주제별 학습 이후에 다양한 문제를 해결하면서 주제별 다지기 학습을 할 수 있도록 했습니다.

수학적 "깜냥" 키우기

깜냥의 뜻 - 스스로 일을 헤아릴 수 있는 능력
TOP사고력 수학의 학습 목표는 처음 보는 문제를 만나더라도 문제가 요구하는 바를 정확하게 파악하고 스스로 해결할 수 있는 능력, 즉 수학적 깜냥을 키우는 것입니다. 그런 의미에서 이 책의 주인공은 깜냥에서 따온 깜이와 냥이라는 두 아이와 수학 선생님입니다. 다양한 실전 문제를 해결하기에 앞서서 개념과 원리를 깜이, 냥이와 선생님이 이야기하듯이 재미있게 알려 줍니다.

깜이

냥이

선생님

스토리텔링 수학!

스토리텔링의 본질은 이야기를 전달하는 것이 아니라 말하는 사람과 듣는 사람 간의 상호 작용을 통해서 듣는 사람이 스스로 생각하면서 이해할 수 있도록 하는 것입니다. TOP사고력 수학은 만화나 이야기를 매개체로 하여 내용을 전달하는 형식적인 스토리텔링이 아니라 아이에게 상황을 그림으로 보여주고 질문을 하고, 활동 자료로 직접 해 볼 수 있도록 하고, 게임을 하면서 연습할 수 있도록 하는 가장 효과적인 스토리텔링 수학입니다.

체계적 구성과 충분한 연습으로 사고력 쑥쑥!!

각 단원의 시작은 "생각열기"로 학생들이 공부할 주제에 대해 먼저 생각해 보도록 질문을 던지고, 다음 쪽에서 선생님의 설명이 이어집니다. 작은 주제별로도 상황에 맞는 개념과 원리를 충분히 알아본 후, "탐구 유형"에서 유형별로 문제를 다루어 보도록 하였습니다. 단원의 마지막인 "TOP 사고력" 에서는 실전 사고력 문제로 단원을 마무리하게 됩니다.
책의 뒷부분에는 각 단원의 복습 및 다지기를 할 수 있는 "사고력 쑥쑥"을 두어 충분한 연습으로 공부한 내용을 자기 것으로 만들 수 있도록 하였습니다.

예비 활동 가이드

TOP사고력 수학 A/B 시리즈는 실전에 강한 수학 공부를 목표로 하기 때문에 교구의 도움 없이 문제 해결을 하도록 하였습니다. 그 대신 주제에 따라 스스로 원리를 이해하고 문제를 해결하는 데 도움이 되도록 예비 활동 가이드를 두어 필요에 따라 문제를 해결해 보기 전에 해 볼 수 있는 활동을 제시하였습니다.

저자 동영상 강의

정답지에서 글로 전달하기 힘든 교육 방법, 활용의 예, 개념의 확장 등의 동영상을 제공합니다. 동영상은 PC에서 볼 수도 있고, QR코드를 이용하여 모바일로 이용할 수도 있습니다.

TOP 사고력 수학 시리즈

- **영역별 나선형식 반복 학습 구조**
- **나이, 학년 단계별 수학의 각 영역 비중 차등**
- **경시, 영재교육원 등의 최신 문제 경향 반영**

유아 단계와 초등 단계의 학습 목표

- **K/P시리즈 -** 초등 입학 전 알아야 할 필수적인 수학 개념을 익히면서 수감각, 공간지각력, 논리력, 문제 이해력 등 수학적 직관력을 키우기
- **A/B시리즈** - 초등 저학년을 대상으로 수학 경시, 영재교육원의 대비와 최상위권으로 이끌기

시리즈별 학습 단계

- **K시리즈** - 수학의 시작 단계(6~7세)
- **P시리즈** - 초등 입학 준비 단계(7~8세)
- **A시리즈** - 초등 1학년 과정을 마친 학생을 대상으로 한 심화 사고력(초1~초2)
- **B시리즈** - 초등 2학년 과정을 마친 학생을 대상으로 한 심화 사고력(초2~초3)

TOP 사고력 수학의 구성

생각열기

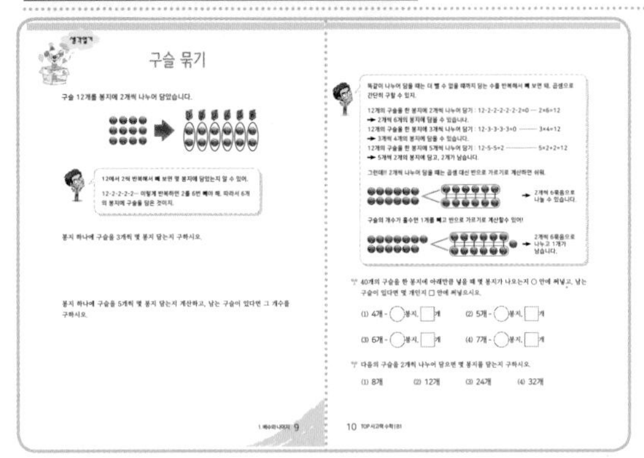

각 단원의 첫 페이지는 공부할 주제에 대한 발문의 역할을 하는 "생각열기"입니다.
재미있게 공부할 주제에 대한 호기심을 유발하고, 간단한 질문에 답하도록 합니다. 꼭 정답을 맞추기보다는 스스로 생각해 보는 것에 초점을 맞추도록 합니다.
스스로 먼저 생각하는 데 방해가 되지 않도록 질문에 대한 설명은 다음 쪽에 있습니다.

원리 탐구

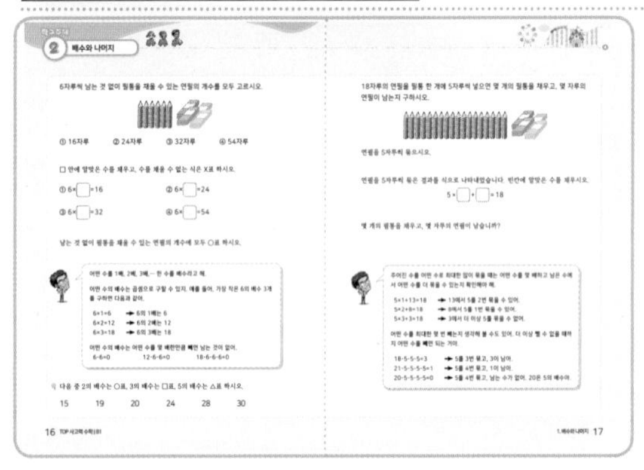

작은 주제별 개념과 문제해결의 원리를 알아보고, 확인 문제를 해결해 봅니다.

탐구 유형

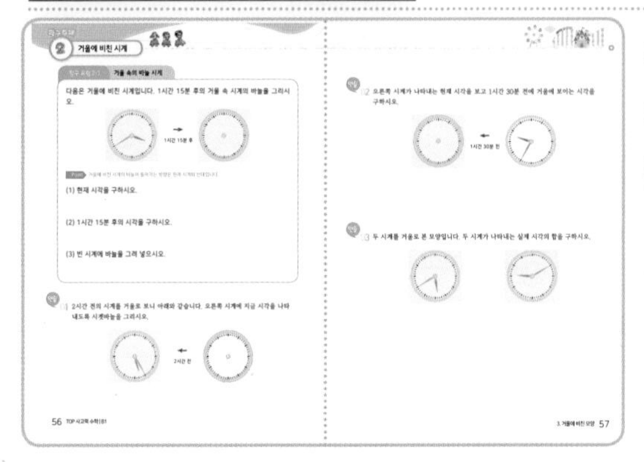

주제별로 여러 가지 유형별 문제를 공부합니다. 문제해결의 원리를 발견할 수 있도록 단계적으로 질문에 따라 문제를 풀어봅니다.

TOP 사고력

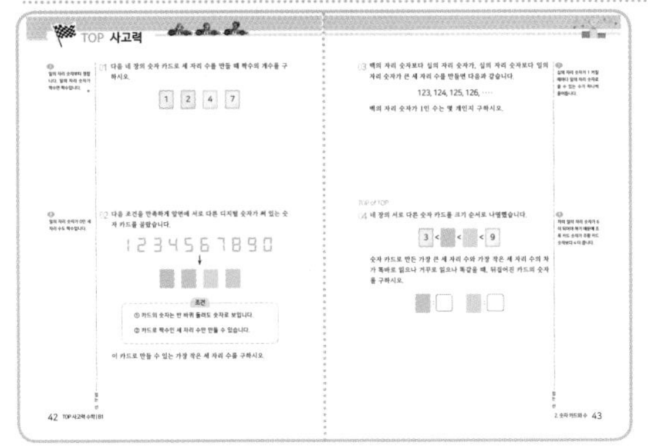

주제별 최고 난이도의 심화 문제를 공부합니다.

사고력 쑥쑥

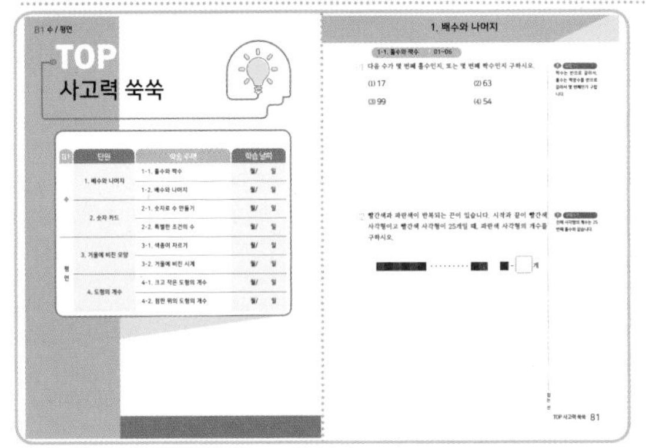

81쪽에서 112쪽까지 32쪽에 걸쳐서 앞에서 공부한 부분을 스스로 복습합니다. 80쪽에는 작은 주제의 복습을 시작하는 날짜를 적어서 한 권을 마치는 동안 공부한 시간을 한 눈에 볼 수 있도록 했습니다.

예비 활동 가이드와 활동 자료

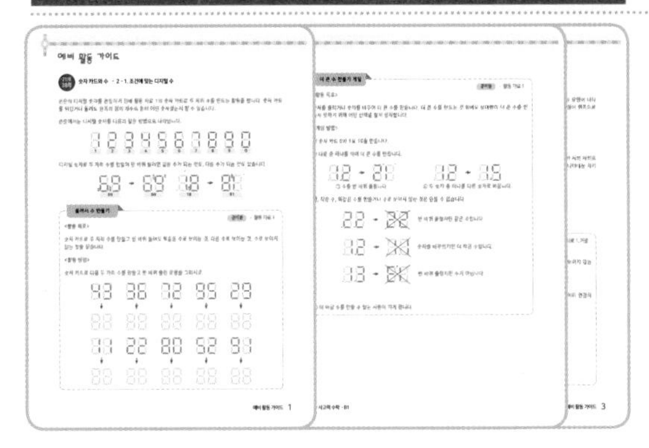

본문을 공부하기 전에 예비 활동을 소개하고 활동에 필요한 활동 자료가 들어 있습니다.

B 시리즈의 학습 내용

B1

연산	1. 곱셈
	2. 식 만들기
측정	3. 길이, 무게, 들이
	4. 시각, 날짜

B2

수	1. 배수와 나머지
	2. 숫자 카드와 수
평면	3. 거울에 비친 모양
	4. 도형의 개수

B3

논리	1. 논리 추론
	2. 경로와 위치
평면	3. 펜토미노 퍼즐
	4. 도형 움직이기

B4

연산	1. 저울산
	2. 여러 가지 배수 관계
입체	3. 쌓기나무 놀이
	4. 주사위

B5

규칙	1. 수의 규칙
	2. 모양 규칙
확률과 통계	3. 순서대로 나열하기
	4. 리그와 토너먼트

B6

문제 해결	1. 간격의 개수와 길이
	2. 거꾸로 해결하기
	3. 차 탐구
	4. 포함과 배제

동영상 강의를 활용해요.

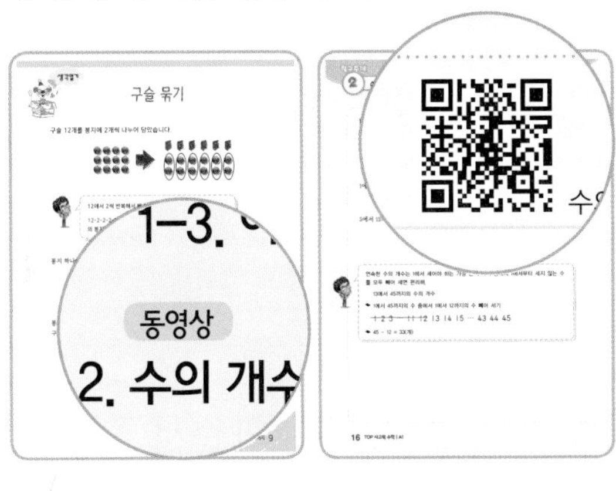

단원의 목차에는 동영상 이라는 표시가, 각 페이지의 윗부분에는 모양이 있으면 동영상 강의가 있다는 뜻입니다.
동영상 강의에서는 문제를 해결하는 원리를 좀 더 쉽게 설명해 줍니다. 어려운 부분은 동영상 강의를 이용할 수 있습니다.

예비 활동을 활용해요.

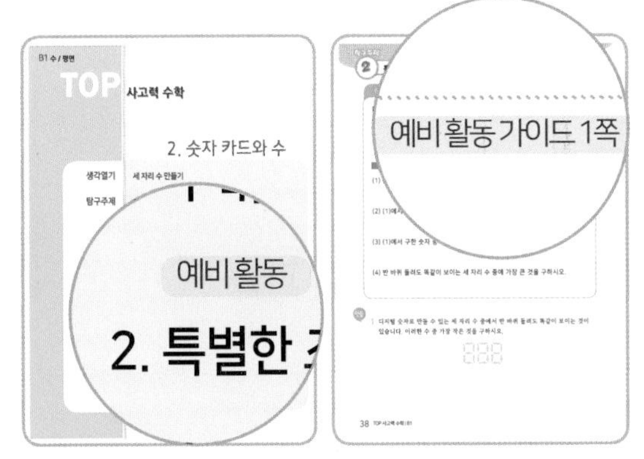

단원의 목차에는 예비활동 이라는 표시가, 각 페이지의 윗부분에는 예비활동가이드 1쪽 표시가 있으면 문제를 풀기 전에 해 보면 좋은 활동이 있다는 뜻입니다.
예비 활동 가이드와 활동 자료를 이용하여 활동이나 게임을 먼저 해 보고 나서 책의 문제를 풀어보면 좀 더 재미있고, 쉽게 문제를 해결할 수 있습니다.

접는 선을 따라 종이를 접고 문제를 풀어요.

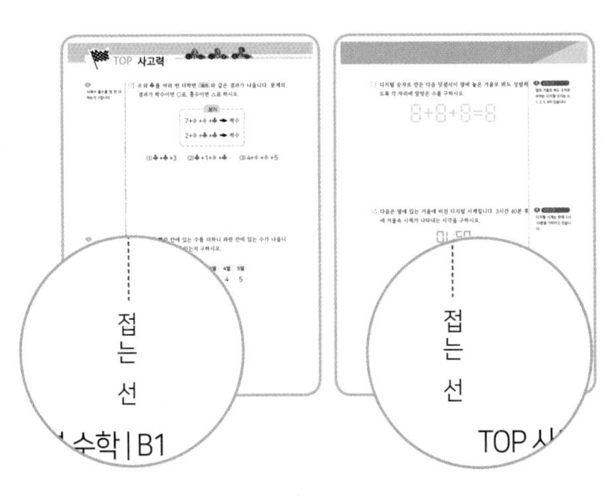

"TOP 사고력"과 "사고력 쑥쑥"에는 접는 선이 표시되어 있습니다. 접는 선 표시에 따라 종이를 접고 문제를 풀고, 어려운 경우 종이를 펼쳐서 도움글을 보고 해결해 봅니다.

TOP 사고력 수학

1. 배수와 나머지

구슬 묶기

봉지에 구슬 12개를 2개씩 나누어 담았습니다.

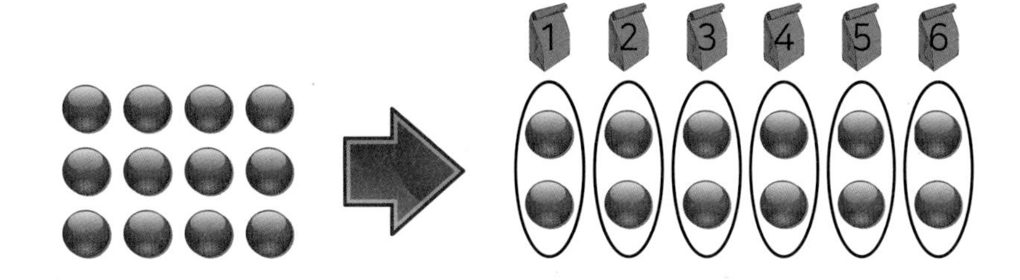

12에서 2씩 반복해서 빼면 몇 봉지에 담았는지 알 수 있어.

12-2-2-2-2… 이렇게 반복하면 2를 6번 빼야 해. 따라서 6봉지에 구슬을 담게 돼.

구슬을 한 봉지에 3개씩 담으면 몇 봉지가 나오는지 구하시오.

구슬을 한 봉지에 5개씩 담으면 몇 봉지가 나오고 남는 구슬이 몇 개인지 구하시오.

똑같이 나누어 담을 때는 더 뺄 수 없을 때까지 담는 개수를 반복해서 빼면 돼. 곱셈으로도 간단히 구할 수 있지.

12개의 구슬을 한 봉지에 2개씩 나누어 담기 :
12-2-2-2-2-2-2=0 ···· 2×6=12
➔ 2개씩 6봉지에 담을 수 있습니다.

12개의 구슬을 한 봉지에 3개씩 나누어 담기 :
12-3-3-3-3=0 ··········· 3×4=12
➔ 3개씩 4봉지에 담을 수 있습니다.

12개의 구슬을 한 봉지에 5개씩 나누어 담기 :
12-5-5=2 ················· 5×2+2=12
➔ 5개씩 2봉지에 담고, 2개가 남습니다.

40개의 구슬을 한 봉지에 주어진 개수 만큼씩 담을 때 몇 봉지가 나오는지 ○ 안에 써넣고, 남는 구슬은 몇 개인지 □ 안에 써넣으시오.

(1) 4개 - ○봉지, □개　　(2) 5개 - ○봉지, □개

(3) 6개 - ○봉지, □개　　(4) 7개 - ○봉지, □개

1 홀수와 짝수

1부터 20까지의 수를 순서대로 2개씩 묶었습니다.

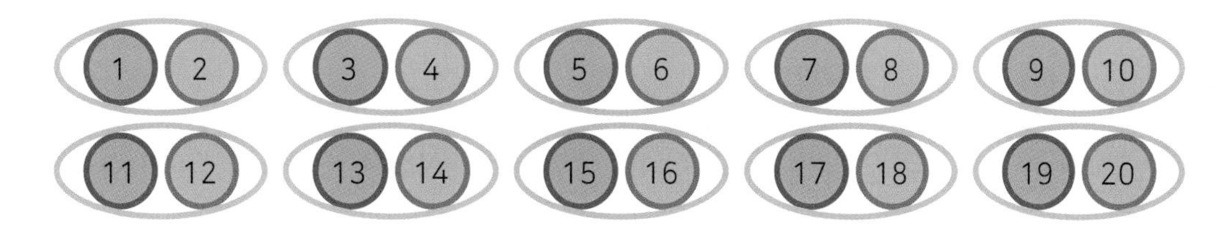

같은 묶음 안에 있는 수를 짝꿍수라고 부르기로 합니다. 다음 수의 짝꿍수를 구하시오.

7 - 12 - 19 -

8은 몇 번째 묶음의 수입니까?

10번째 묶음 안의 짝수를 구하시오.

수를 1부터 순서대로 2개씩 묶었을 때 같은 묶음에 들어가는 수를 짝꿍수라고 약속하자! 홀수와 짝수로 묶인 한 쌍이 서로 짝꿍수야!

홀수와 짝수의 순서는 묶음의 순서와 같아. 10번째 묶음의 홀수, 짝수는 각각 10번째 홀수, 짝수이지.

수를 1부터 순서대로 2개씩 묶었을 때 다음 수의 짝꿍수를 구하시오.

(1) 25

(2) 32

(3) 49

(4) 58

탐구주제

1 홀수와 짝수

탐구 유형 1-1 37은 몇 번째 홀수?

37은 몇 번째 홀수인지 구하시오.

Point 먼저 37의 짝꿍수인 짝수를 찾아봅니다.

(1) 수를 1부터 순서대로 2개씩 묶었을 때 37의 짝꿍수인 짝수를 구하시오.

(2) (1)에서 구한 수는 몇 번째 짝수입니까?

(3) 37은 몇 번째 홀수입니까?

연습 01 다음 수가 몇 번째 홀수인지 또는 몇 번째 짝수인지 구하시오.

(1) 13

(2) 16

(3) 19

(4) 25

연습 02 다음 수를 구하시오.

(1) 9번째 홀수

(2) 5번째 짝수

(3) 6번째 홀수

(4) 11번째 짝수

연습 03 검은색과 노란색이 반복되는 67개의 사각형이 있습니다. 시작과 끝이 검은색 사각형일 때 검은색과 노란색 사각형의 개수를 각각 구하시오.

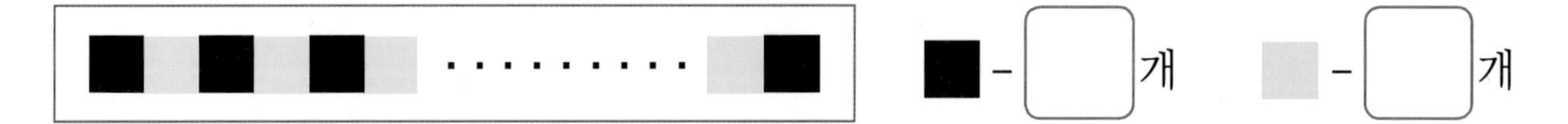

짝수, 홀수의 합

탐구 유형 1-2 남은 구슬의 개수

접시 위의 다섯 가지 사탕을 두 사람이 색깔별로 똑같이 나누어 먹었습니다. 오른쪽 접시 위의 사탕은 똑같이 나누어 먹고 남은 사탕입니다. 전체 사탕의 개수는 홀수인지 짝수인지 구하시오.

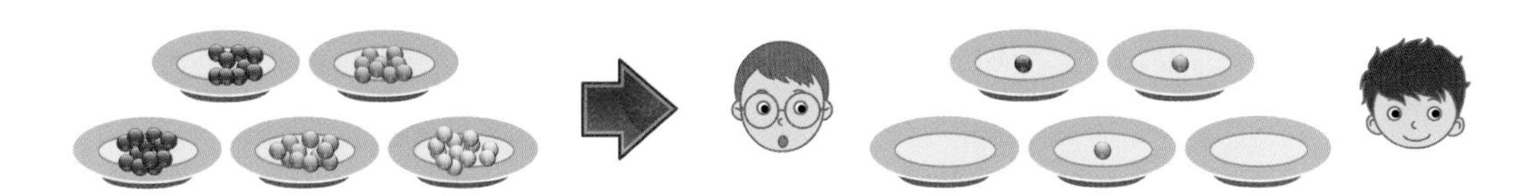

• Point 남은 것끼리 모아서 똑같이 나누어 먹으면 남는 것이 있는지 봅니다.

(1) 다음 중 보라색 사탕의 개수로 가능한 것에 모두 ○표 하시오.

① 9개 ② 14개 ③ 24개 ④ 31개

(2) 전체 사탕의 개수가 홀수인지 짝수인지 구하시오.

연습 01 식의 값이 짝수이면 ○표, 홀수이면 △표 하시오.

(1) 홀수 + 짝수 + 홀수 (2) 홀수 + 홀수 + 홀수 (3) 짝수 + 홀수 + 짝수

연습 02 ♣는 홀수, ★은 짝수입니다. 식의 값이 짝수이면 ○표, 홀수이면 △표 하시오.

(1) 3+♣+♣+♣ (2) 7+★+♣+♣

(3) 5+♣+★+★ (4) 3+★+★+★

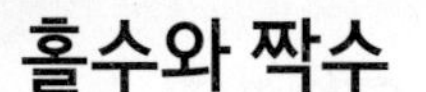

홀수와 짝수

탐구 유형 1-3 똑같이 자르기

선을 따라 모양과 크기가 같게 둘로 나눌 수 있는 사각형에 ○표 하시오. (사각형 위와 옆의 수는 가로줄과 세로줄의 개수입니다.)

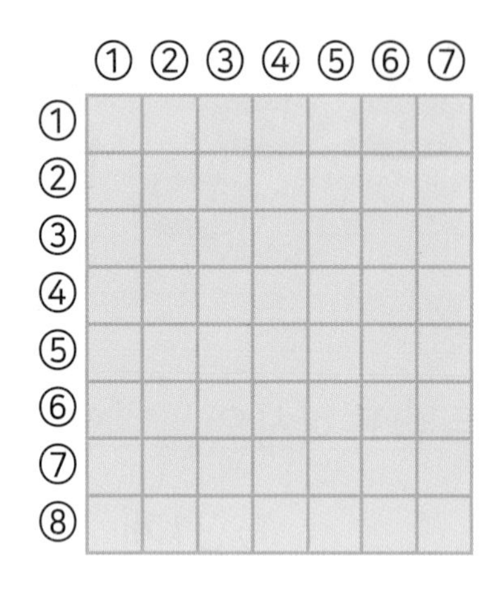

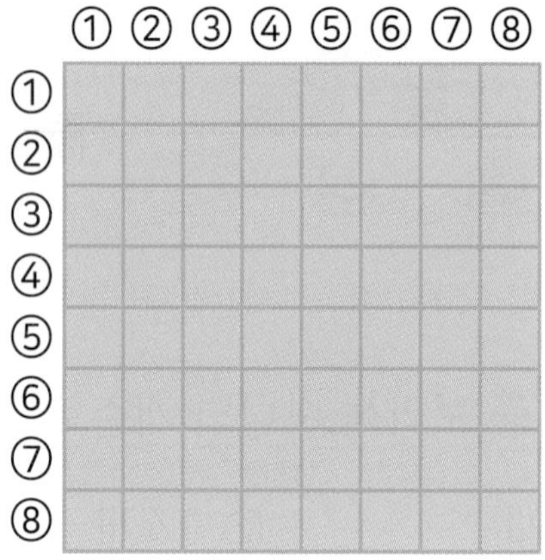

①②③④⑤⑥⑦⑧ / ①②③④⑤⑥⑦⑧

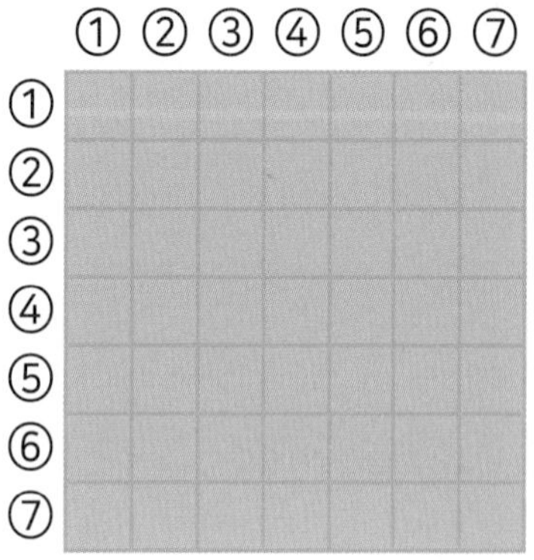

①②③④⑤⑥⑦ / ①②③④⑤⑥⑦

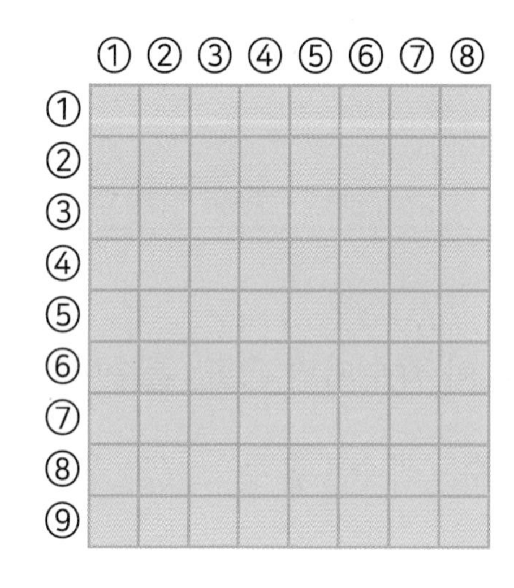

Point 가로줄과 세로줄의 개수가 홀수인지 짝수인지 살펴봅니다.

(1) 선을 따라 가로나 세로로 똑같이 나누는 직선을 그릴 수 사각형에 ○표 하고 ○표 한 사각형에 나누는 선을 그리시오.

(2) 똑같이 나눌 수 없는 사각형은 가로줄과 세로줄에 어떤 특징이 있습니까?

연습 01 7개의 구슬이 들어 있는 병의 개수가 다음과 같을 때, 구슬의 개수의 합이 짝수이면 ○표, 홀수이면 △표 하시오.

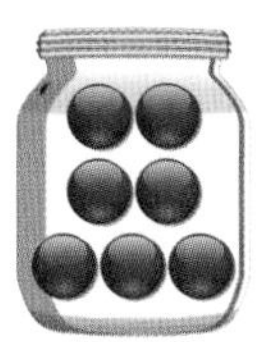

(1) 3병　　(2) 4병　　(3) 6병　　(4) 9병

연습 02 검은색, 노란색이 반복되는 판이 있습니다. 검은색과 노란색 칸의 개수가 같으면 ○표, 다르면 △표 하시오. (판 위와 옆의 수는 가로줄과 세로줄의 개수입니다.)

(1) ① ② ③ ④ ⑤ ⑥ ⑦ ⑧ ⑨ ⑩ ⑪ / ① ② ③ ④ ⑤ ⑥ ⑦

(2) ① ② ③ ④ ⑤ ⑥ ⑦ ⑧ ⑨ / ① ② ③ ④ ⑤ ⑥

연습 03 ●는 빨간색 상자 안의 수 중 하나이고 ◆는 파란색 상자 안의 수 중 하나입니다.

2 4 6 8　　1 3 5 7 9

식의 값이 짝수이면 ○표, 홀수이면 △표 하시오.

(1) ●×◆　　(2) ◆×◆　　(3) ●×●　　(4) ◆×●

2 배수와 나머지

연필의 개수에 따라 필통에 연필을 똑같이 6자루씩 채우고 남는 연필이 있는지 알아봅니다.

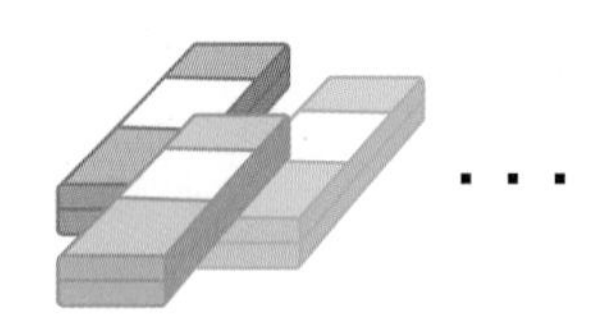

□ 안에 알맞은 수를 채워 식을 완성하고, 식을 완성할 수 없는 식은 X표 하시오.

① 6 × □ =16　　② 6 × □ =24

③ 6 × □ =32　　④ 6 × □ =54

남는 것 없이 필통을 채울 수 있는 연필의 개수에 모두 ○표 하시오.

① 16자루　② 24자루　③ 32자루　④ 54자루

어떤 수를 1배, 2배, 3배,⋯ 한 수를 어떤 수의 배수라고 해.

배수는 곱셈으로 구할 수 있지.

6×1=6 ➔ 6의 1배는 6
6×2=12 ➔ 6의 2배는 12
6×3=18 ➔ 6의 3배는 18

6의 □배에서 6을 □번 빼면 남는 것이 없어.

6-6=0　　12-6-6=0　　18-6-6-6=0

다음 중 2의 배수에 ○표, 3의 배수에 □표, 5의 배수에 △표 하시오. 단, 하나의 수에 여러 모양을 표시할 수 있습니다.

15　19　20　24　28　30

18자루의 연필을 5자루씩 넣으면 몇 개의 필통을 채우고 몇 자루의 연필이 남는지 알아봅니다.

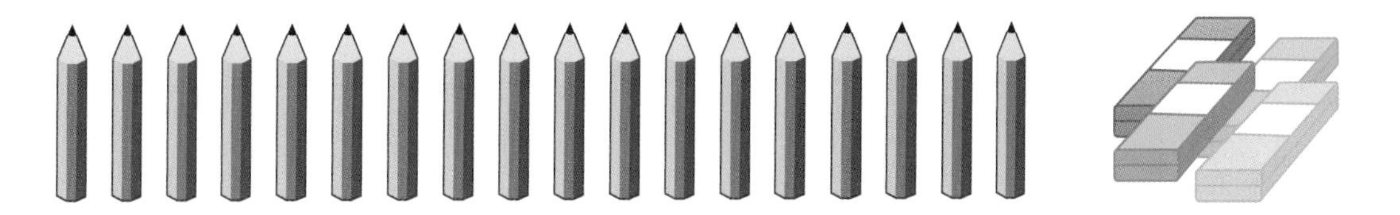

연필을 5자루씩 묶으시오.

연필을 5자루씩 묶은 결과를 식으로 나타내었습니다. □에 알맞은 수를 채우시오.

$$5 \times \square + \square = 18$$

18개의 연필을 필통 한 개에 5자루씩 넣으면 몇 개의 필통을 채우고, 몇 자루의 연필이 남습니까?

어떤 수의 몇 배를 최대한 묶고, 남는 수에서 어떤 수로 더 묶을 수 있는지 확인해야 해.

5×2 + 8=18(X) ➔ 8에서 5를 1번 묶을 수 있어.
5×3 + 3=18(O) ➔ 3에서 더 이상 5를 묶을 수 없어.

어떤 수를 몇 번 빼고 남는 수도 생각해 볼 수도 있어.

18-5-5-5=3 ➔ 5를 3번 묶고도 3이 남아.
21-5-5-5-5=1 ➔ 5를 4번 묶고도 1이 남아.
20-5-5-5-5=0 ➔ 5를 4번 묶으면 남는 수가 없어. 20은 5의 배수야.

탐구주제

배수와 나머지

탐구 유형 2-1 배수 퍼즐

사각형 안의 수는 가로, 세로로 만나는 ○ 안의 두 수의 곱입니다. ○ 안에 2에서 9까지의 수를 한 번씩 써넣으시오.

$4 \times 7 = 28$

	28		56	7
15		27		
	24		48	
10		18		
	4			

	18	24		
10			20	
14			28	
	54	72		

14		12	18	
35				
		48		
21	12	18		

	28			
	42	30	48	
27	63	45		
		10		

Point 5의 배수와 7의 배수를 먼저 찾아봅니다.

연습 01 ○ 안에는 2에서 9까지 중에서 서로 다른 수가 들어가고, ▢ 안의 수는 이웃한 ○ 안의 두 수의 곱입니다. 빈칸에 알맞은 수를 써넣으시오.

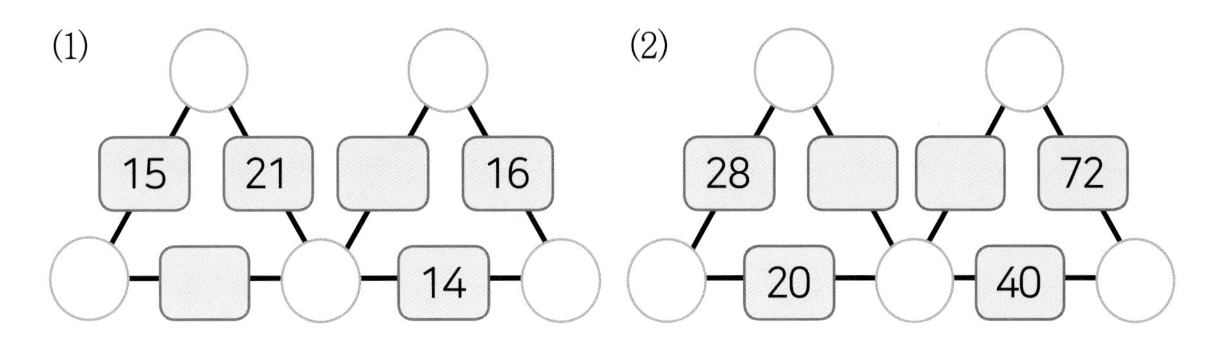

연습 02 삼각형 안의 수는 꼭짓점에 있는 ○ 안의 세 수의 곱입니다.

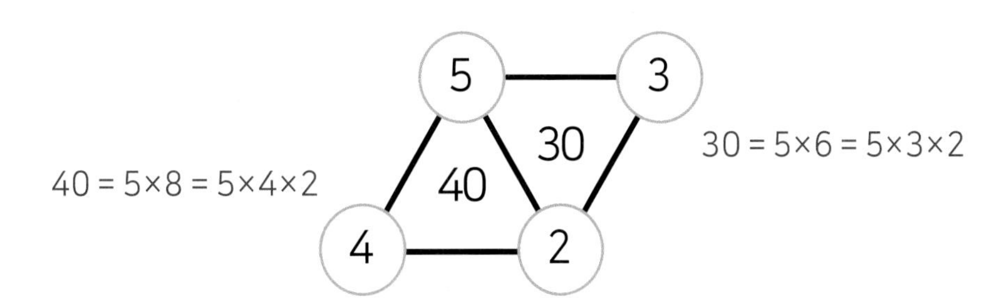

○ 안에 2에서 9까지의 수 중 하나를 알맞게 써넣으시오. 단, 같은 수를 여러 번 사용해도 됩니다.

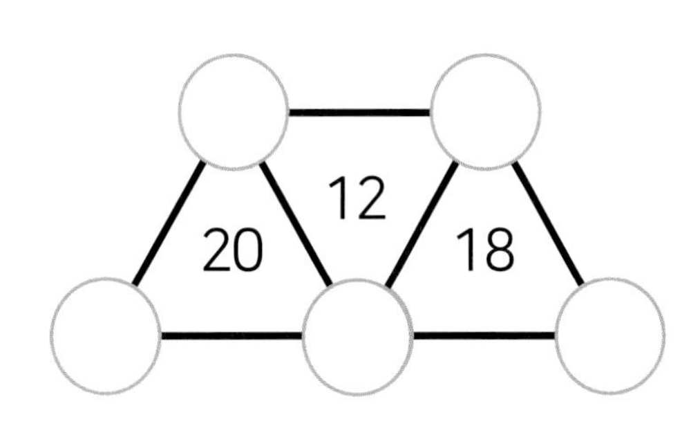

2 배수와 나머지

수 배열표와 나머지

탐구 유형 2-2 수 배열표

수 배열표에 1부터 순서대로 수를 써넣습니다. 11과 23이 몇 열에 있는지 구하시오.

1열	2열	3열	4열	5열
1	2	3	4	5
6	7	8		

Point 5열은 5의 배수이고, 다른 열은 5를 더 이상 뺄 수 없을 때까지 빼고 남은 수가 열의 번호입니다.

(1) 11과 23에서 5를 더 이상 뺄 수 없을 때까지 빼고 남은 수를 각각 구하시오.

11: ☐ 23: ☐

(2) 11과 23이 각각 몇 열에 있는지 구하시오.

11: ☐ 열 23: ☐ 열

연습

01 10원 동전의 개수가 다음과 같을 때, 50원 동전으로 최대한 많이 바꾸고 남는 10원 동전의 개수를 구하시오.

(1) 17개 (2) 21개 (3) 13개 (4) 25개

연습 02 다음의 수가 몇 열에 있는지 구하시오.

1열	2열	3열	4열	5열	6열
1	2	3	4	5	6
7	8	9	10		

(1) 16: ☐ 열 (2) 23: ☐ 열 (3) 19: ☐ 열 (4) 30: ☐ 열

연습 03 2열에 올 수 있는 수는 ○표, 4열에 올 수 있는 수는 △표, 나머지 수는 □표 하시오.

1열	2열	3열	4열	5열
1	2	3	4	5
6	7	8		
		⋮		

(1) 17 (2) 20 (3) 44 (4) 32

배수와 나머지

탐구 유형 2-3 더한 수의 위치

색칠된 두 칸의 수를 더한 수는 몇 번 열에 있는지 구하시오.

1열	2열	3열	4열	5열
1	2	3	4	5
6	7	8		

Point 5를 더 이상 뺄 수 없을 때까지 빼고 남은 수를 더해 봅니다.

(1) 색칠된 칸의 수에서 5를 최대한 빼고 남은 수를 구하시오.

 : 　　 :

(2) (1)번에서 구한 두 수를 더한 수에 5를 더 이상 뺄 수 없을 때까지 빼고 남은 수를 구하시오.

(3) 색칠된 두 칸의 수의 합이 몇 번 열에 놓이는지 구하시오.

연습 01 붕어빵을 오전에 23개, 오후에 32개 만들었습니다. 6개씩 담기 위해 적어도 몇 개 더 만들어야 하는지 구하시오.

연습 02 세 반이 여행을 갔는데 1반은 23명, 2반은 24명, 3반은 22명입니다. 첫날은 각 반에서, 둘째 날은 세 반 전체에서 5명씩 모둠을 이뤄 다녔습니다.

(1) 첫날에 5명 모둠을 최대한 이루고 남는 학생 수를 구하시오.

1반: ☐ 명 2반: ☐ 명 3반: ☐ 명

(2) 둘째 날에 5명 모둠을 최대한 이루고 남는 학생 수를 구하시오.

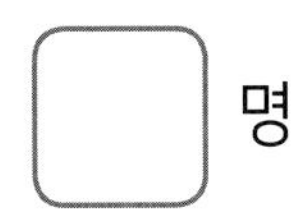
명

연습 03 색칠된 칸 안에 있는 수 중에서 두 개를 더하면 몇 열에 놓이는지 구하시오.

1열	2열	3열	4열	5열	6열
1	2	3	4	5	6
7	8	9	10		
		⋮			

(1) ■ + ■ : ☐ 열

(2)  ■ + ■ : ☐ 열

(3) ■ + ■ : ☐ 열

(4) ■ + ■ : ☐ 열

각 식에서 홀수를 몇 번 더하는지 구합니다.

01 ♠와 ♣를 여러 번 더하면 보기 와 같은 결과가 나옵니다. 식의 값이 짝수이면 ○표, 홀수이면 △표 하시오.

보기

7 + ♠ + ♠ + ♣ → 짝수

2 + ♠ + ♣ + ♣ → 짝수

(1) ♣ + ♣ + 3 (2) ♣ + 2 + ♠ + ♣ (3) 4 + ♠ + ♠ + 5

5를 더 이상 뺄 수 없을 때까지 빼면 빨간색 칸의 수는 4, 파란색 칸의 수는 2가 남습니다.

02 어떤 수 ★과 빨간색 칸에 있는 수를 더하면 파란색 칸에 있는 수가 나옵니다. ★은 몇 열에 있는지 구하시오.

1열	2열	3열	4열	5열
1	2	3	4	5
6	7	8		
		⋮		
		⋮		

접는 선

03 두 개의 수 배열표를 한 칸씩 색칠했습니다. 두 칸의 수를 더하면 왼쪽 배열표의 몇 번 열에 놓이는지 구하시오.

1열	2열	3열
1	2	3
4	5	6
	⋮	
	■	

1열	2열	3열	4열	5열	6열
1	2	3	4	5	6
7	8	9	10		
		⋮			
			■		

■ 안의 수에서 6을 더 이상 뺄 수 없을 때까지 빼면 4가 남습니다.

TOP of TOP

04 □□ 안의 수는 이웃한 ○ 안의 수를 곱한 두 자리 수입니다. ○ 안에 서로 다른 한 자리 수를 써넣으시오.

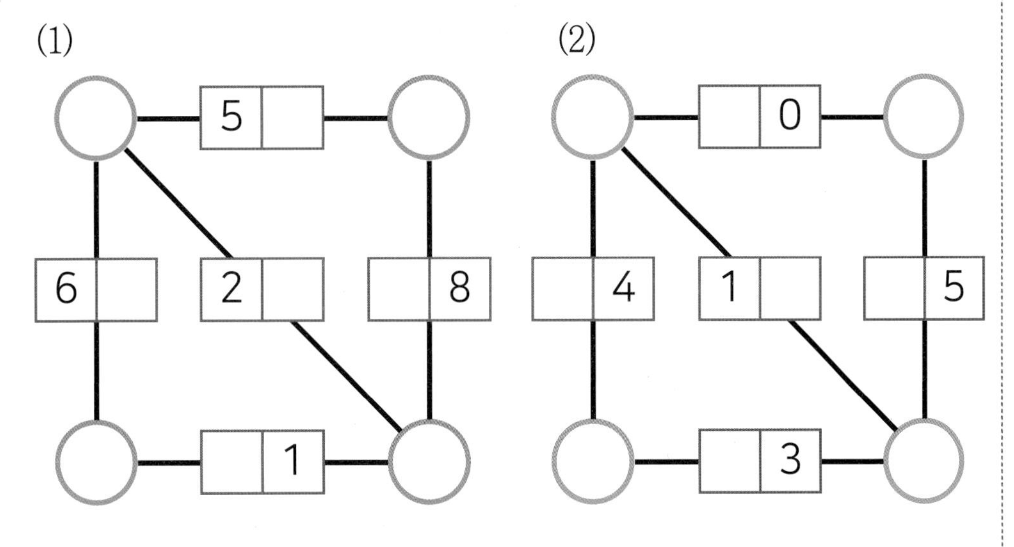

(1) 서로 다른 한 자리 수를 곱하여 십의 자리가 6이 나오는 경우는 7과 9를 곱하는 경우 뿐이고, 십의 자리가 5가 나오는 경우는 6과 9, 7과 8을 곱하는 경우입니다.

(2) 일의 자리가 0으로 끝나는 경우는 5와 짝수의 곱셈, 5로 끝나는 경우는 5와 홀수의 곱셈입니다.

접는 선

TOP 사고력 수학

2. 숫자 카드와 수

생각열기 세 자리 수 만들기

탐구주제

동영상
1. 숫자로 수 만들기

1-1. 만들 수 있는 수의 개수 / 범위 내의 수의 개수

1-2. 8번째로 큰 수, 작은 수 / 크기 순서로 나열하기

동영상
1-3. 몇 번째 큰 수, 작은 수 / 순서에 맞는 수 구하기

동영상
1-4. 뒤집어진 카드 / 숫자 추리

2. 특별한 조건의 수

예비활동 동영상
2-1. 조건에 맞는 디지털 수 / 돌린 수

동영상
2-2. 거울수 / 대칭수

TOP 사고력

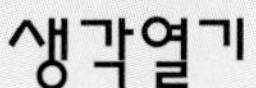

세 자리 수 만들기

0, 1, 2, 3이 적힌 4장의 숫자 카드 중 3장을 뒤집어 나열할 수 있는 방법이 몇 가지인지 알아봅시다.

첫 번째에 쓸 수 있는 카드는 4장이야. 이미 사용한 카드는 쓸 수 없으니 두 번째, 세 번째에 쓸 수 있는 카드는 하나씩 줄어서 각각 3장, 2장이야.

모두 24가지의 방법이 있어!

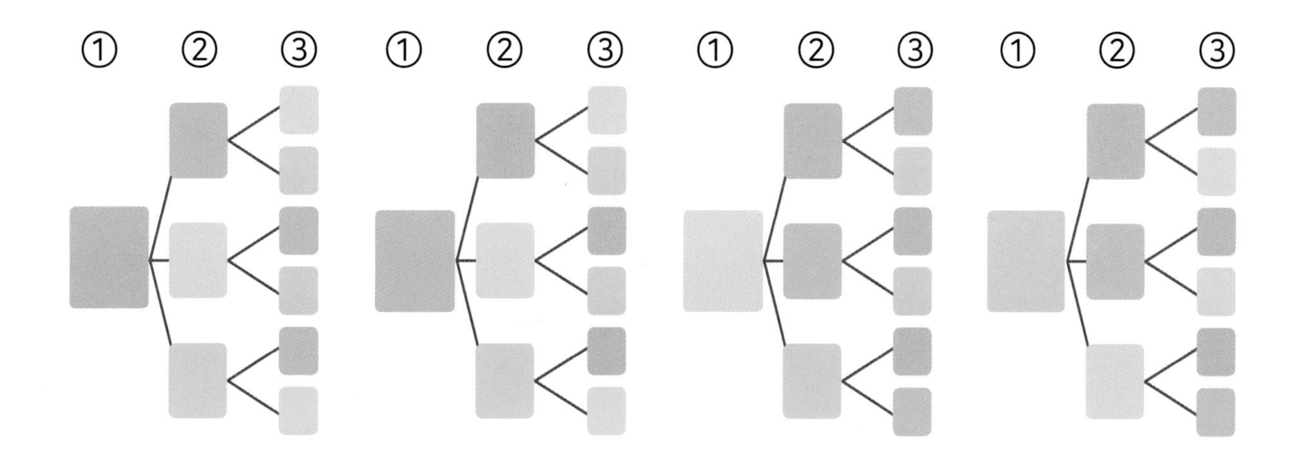

숫자 카드 3장을 뒤집지 않고 순서대로 놓아서 만들 수 있는 세 자리 수의 개수를 구하시오.

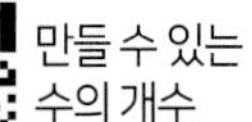

뒤집어서 나열하는 방법의 수는 6×4=24(개)지만 가장 앞에 숫자 0을 쓸 수 없기 때문에 6×3=18(개)의 세 자리 수를 만들 수 있어.

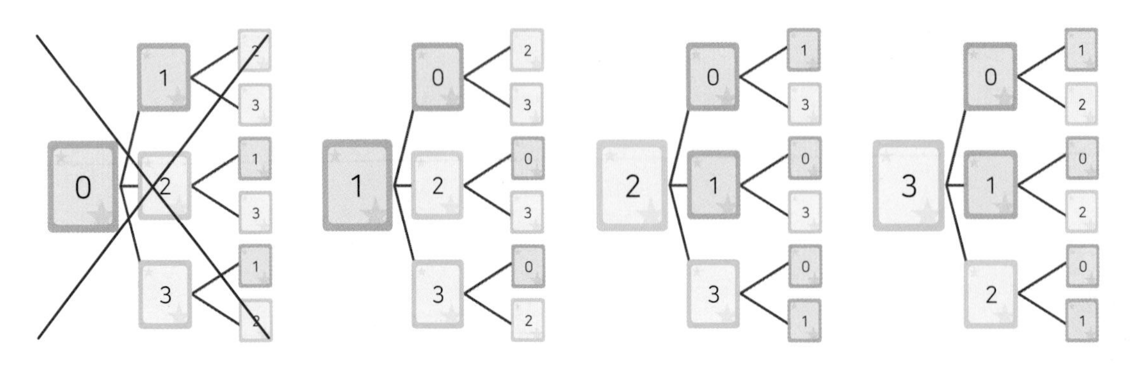

이와 같이 곱셈으로 수의 개수를 구할 수 있어.

예) 숫자 1, 3, 6, 8로 만들 수 있는 세 자리 수의 개수

1 ─ 3 < 6, 8
1 ─ 6 < 3, 8
1 ─ 8 < 3, 6

숫자 1이 제일 앞에 있을 때 만들 수 있는 세 자리 수가 6개,
백의 자리에 1, 3, 6, 8이 올 수 있으므로 6×4=24(개)

다음의 숫자 카드 중에서 3장을 골라 만들 수 있는 세 자리 수의 개수를 구하시오.

(1) 2 4 7

(2) 0 3 5 8

곱셈만으로 개수를 구할 수 없는 경우도 있어. 같은 숫자가 있거나 특별한 조건이 있는 경우에는 하나씩 세어 봐야 해.

다음과 같이 4장의 숫자 카드로 세 자리 수를 만들려고 합니다.

백의 자리 숫자가 1인 세 자리 수를 모두 구하시오.

백의 자리 숫자가 2인 세 자리 수를 모두 구하시오.

백의 자리 숫자가 3인 세 자리 수를 모두 구하시오.

숫자 카드로 만들 수 있는 세 자리 수는 모두 몇 개입니까?

다음의 숫자 카드 중에서 3장을 골라 만들 수 있는 세 자리 수의 개수를 구하시오.

3 

6

숫자로 수 만들기

탐구 유형 1-1 만들 수 있는 수의 개수

다음 숫자 카드를 사용하여 만들 수 있는 세 자리 수 중 350보다 큰 수의 개수를 구하시오.

2 3 5 6

Point 백의 자리 숫자별로 크기 순서대로 세 자리 수를 모두 구합니다.

(1) 백의 자리 숫자별로 350보다 큰 세 자리 수를 모두 구하시오.

2 –

3 –

5 –

6 –

(2) 조건을 만족하는 세 자리 수는 모두 몇 개입니까?

연습

01 다음 숫자 카드를 사용하여 만들 수 있는 세 자리 수 중에서 320보다 작은 수의 개수를 구하시오.

0 1 3 5

연습

02 다음 숫자 카드를 사용하여 만들 수 있는 세 자리 수 중에서 410보다 큰 수의 개수를 구하시오.

1 1 4 7

연습

03 다음 숫자 카드를 사용하여 만들 수 있는 세 자리 수 중에서 570보다 크고 800보다 작은 수의 개수를 구하시오.

2 5 7 9

연습

04 다음 숫자 카드를 사용하여 만들 수 있는 세 자리 수 중에서 450보다 크고 720보다 작은 수의 개수를 구하시오.

1 4 4 7

숫자로 수 만들기

탐구 유형 1-2 8번째로 큰 수, 작은 수

숫자 카드로 세 자리 수를 만들 때 8번째로 큰 수와 8번째로 작은 수를 각각 구하시오.

0 2 3 6

Point 큰 자리부터 차례대로 숫자를 바꾸면서 하나씩 써서 구합니다.

(1) 가장 큰 세 자리 수부터 8번째 큰 세 자리 수까지 차례대로 쓰시오.

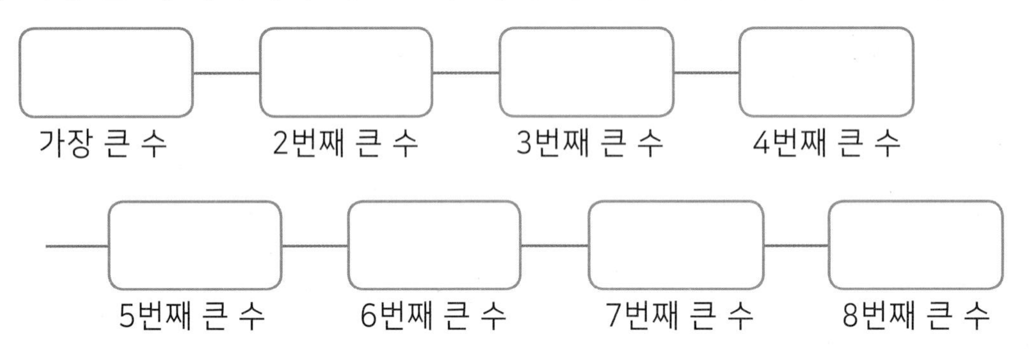

(2) 가장 작은 세 자리 수부터 8번째 작은 세 자리 수까지 차례대로 쓰시오.

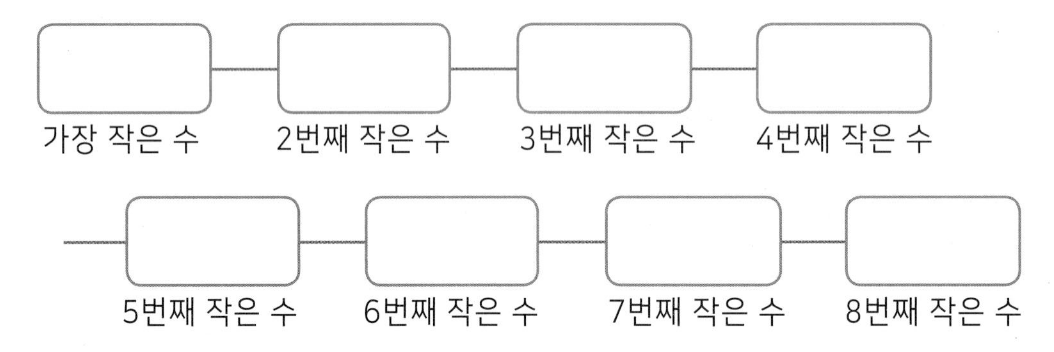

연습 01 다음 숫자 카드로 세 자리 수를 만들 때 5번째로 큰 수를 구하시오.

1 2 4 7

연습

02 빈칸을 채워 숫자 카드로 만들 수 있는 세 자리 수 중에서 9번째로 큰 수를 구하시오.

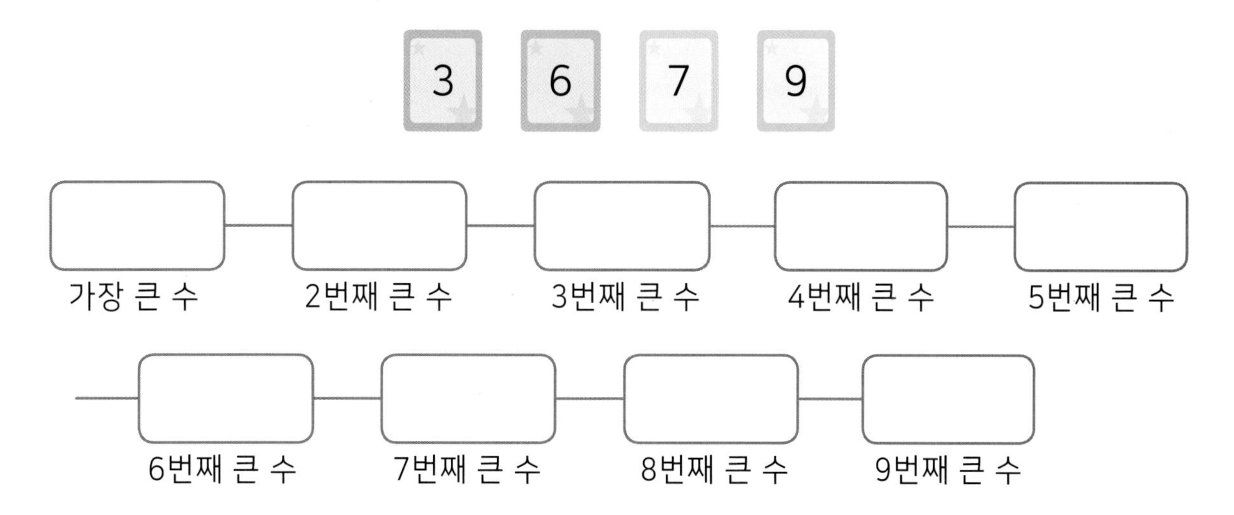

연습

03 다음 숫자 카드로 만들 수 있는 세 자리 수 중에서 7번째로 작은 수를 구하시오.

0 2 5 6

1 숫자로 수 만들기

탐구 유형 1-3 몇 번째 큰 수, 작은 수

다음 숫자 카드로 세 자리 수를 만들려고 합니다. 324는 몇 번째로 작은 수인지 구하시오.

Point 백의 자리 숫자마다 만들 수 있는 세 자리의 수의 개수가 같습니다.

(1) 백의 자리 숫자가 1, 2인 수는 각각 몇 개입니까?

- 백의 자리 숫자가 1인 수의 개수 :
- 백의 자리 숫자가 2인 수의 개수 :

(2) 백의 자리 숫자가 3, 십의 자리 숫자가 1인 수는 몇 개입니까?

(3) 324은 몇 번째 작은 수인지 구하시오.

연습 01 다음 숫자 카드로 세 자리 수를 만들려고 합니다. 532는 몇 번째로 작은 수인지 구하시오.

2 3 5 7

연습

02 다음 숫자 카드로 세 자리 수를 만들려고 합니다. 794는 몇 번째로 작은 수인지 구하시오.

1 4 7 9

연습

03 다음 숫자 카드로 세 자리 수를 만들려고 합니다. 140은 몇 번째로 큰 수인지 구하시오.

0 1 4 7

1 숫자 카드와 수

탐구 유형 1-4 뒤집어진 카드

서로 다른 네 장의 숫자 카드로 만든 가장 큰 세 자리 수와 가장 작은 세 자리 수의 합이 999입니다. 숫자가 보이지 않게 뒤집어 놓은 카드의 숫자를 구하시오.

[ ] [2] [5] [7]

Point 숫자 카드의 크기 순서별로 나누어 따져봅니다.

(1) 네 숫자 카드의 크기 순서가 다음과 같을 때 가장 큰 세 자리 수와 가장 작은 세 자리 수의 합이 999가 되는 경우를 찾아보시오.

① [ ] > [7] > [5] > [2]

② [7] > [ ] > [5] > [2]

③ [7] > [5] > [ ] > [2]

④ [7] > [5] > [2] > [ ]

(2) 뒤집어 놓은 카드의 숫자는 무엇입니까?

연습 01 서로 다른 네 장의 숫자 카드로 만든 가장 큰 세 자리 수와 가장 작은 세 자리 수의 합이 777입니다. 숫자가 보이지 않게 뒤집어 놓은 카드의 숫자를 구하시오.

2 4 ☐ 5

연습 02 서로 다른 네 장의 숫자 카드로 세 자리 수를 만들때 숫자가 보이는 카드만 사용해서 두 번째로 큰 수를 만들 수 있습니다. 숫자가 보이지 않게 뒤집어 놓은 카드의 숫자를 구하시오.

3 5 ☐ 7

연습 03 네 장의 숫자 카드로 세 자리 수를 만들 때 숫자가 보이는 카드만 사용해서 가장 작은 수를 만들 수 있습니다. 숫자가 보이지 않게 뒤집어 놓은 카드의 숫자로 가능한 것을 모두 구하시오. 단, 카드의 숫자는 서로 같을 수 있습니다.

1 4 ☐ 7

특별한 조건의 수

예비 활동 가이드 1,2쪽

탐구 유형 2-1 조건에 맞는 디지털 수

다음은 전자 시계에 표시되는 디지털 숫자입니다. 디지털 숫자로 만들 수 있는 세 자리 수 중에서 반 바퀴 돌려도 똑같이 보이는 수가 있습니다. 이러한 수 중에서 가장 큰 수를 구하시오.

Point 반 바퀴 돌리면 십의 자리 숫자는 제자리에 있고, 백의 자리와 일의 자리 숫자는 위치를 서로 바꿉니다.

(1) 반 바퀴 돌려도 숫자로 보이는 것을 모두 구하시오.

(2) (1)에서 구한 숫자 중 반 바퀴 돌려도 똑같은 숫자를 구하시오.

(3) (1)에서 구한 숫자 중 가장 큰 것을 반 바퀴 돌린 숫자를 구하시오.

(4) 반 바퀴 돌려도 똑같이 보이는 세 자리 수 중에 가장 큰 것을 구하시오.

연습 01 디지털 숫자로 만들 수 있는 세 자리 수 중에서 반 바퀴 돌려도 똑같이 보이는 수가 있습니다. 이러한 수 중 가장 작은 것을 구하시오.

연습

02 디지털 숫자가 적힌 카드 4장이 다음 조건을 만족합니다.

조건

① 각 카드의 숫자는 반 바퀴 돌려도 같은 숫자로 보입니다.

② 카드의 숫자끼리 곱해도 0이 되지 않습니다.

이 카드로 만들 수 있는 가장 큰 세 자리 수를 구하시오.

연습

03 디지털 숫자는 다음과 같이 짧은 선 여러 개로 만들 수 있습니다.

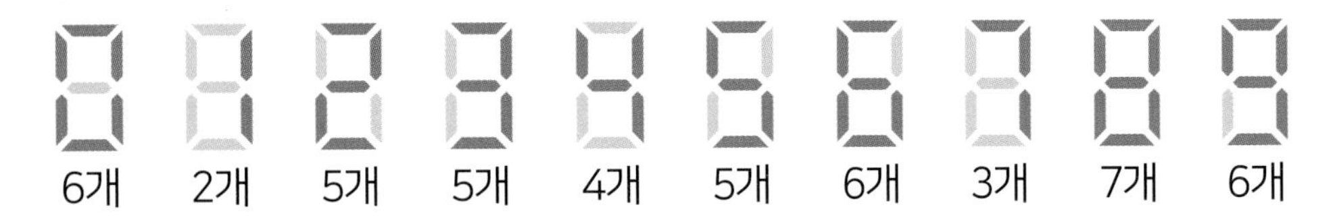

선 15개로 만들 수 있는 가장 큰 세 자리 수와 가장 작은 세 자리 수를 구하시오.
단, 같은 숫자를 여러 번 사용해도 됩니다.

특별한 조건의 수

거울수

탐구 유형 2-2 거울수

1001은 뒤에서부터 거꾸로 읽어도 1001입니다. 이와 같이 똑바로 읽으나 거꾸로 읽으나 똑같은 네 자리 수의 개수를 구하시오.

Point 천의 자리, 일의 자리 숫자가 서로 같고, 백의 자리, 십의 자리 숫자도 서로 같습니다.

(1) 십의 자리 숫자는 천의 자리 숫자와, 일의 자리 숫자는 백의 자리 숫자와 똑같기 때문에 천의 자리와 백의 자리 숫자를 정하면 수가 결정됩니다. 천의 자리와 백의 자리를 채우는 방법은 몇 가지인지 구하시오.

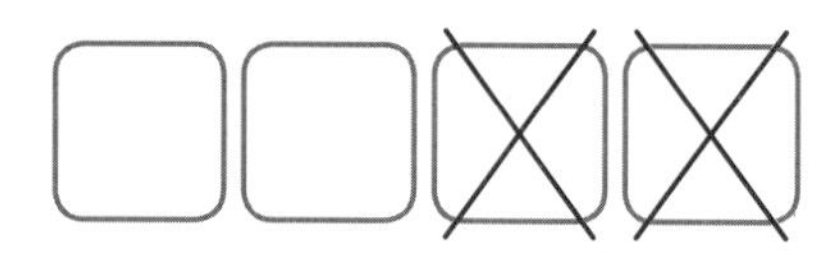

(2) 똑바로 읽으나 거꾸로 읽으나 똑같은 네 자리 수는 몇 개입니까?

연습 01 조건에 알맞은 수의 개수를 구하시오.

(1) 일의 자리 숫자가 3이고, 똑바로 읽으나 거꾸로 읽으나 똑같은 세 자리 수

(2) 백의 자리 숫자가 6이고, 똑바로 읽으나 거꾸로 읽으나 똑같은 네 자리 수

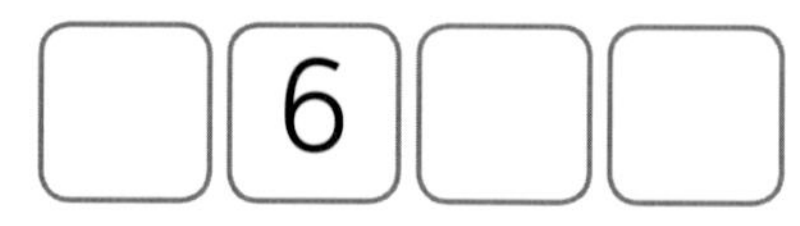

02 101과 같이 똑바로 읽으나 거꾸로 읽으나 똑같은 세 자리 수의 개수를 구하시오.

연습

03 똑바로 읽으나 거꾸로 읽으나 똑같으면서 각 자리 숫자의 합이 12인 네 자리 수를 모두 쓰시오.

일의 자리 숫자부터 정합니다. 일의 자리 숫자가 짝수인 수는 짝수입니다.

01 다음 네 장의 숫자 카드로 세 자리 수를 만들 때 짝수의 개수를 구하시오.

1	2	4	7

홀수인 숫자 카드가 없어야 만들 수 있는 모든 세 자리 수가 짝수가 됩니다. 일의 자리 숫자가 0인 세 자리 수도 짝수입니다.

02 디지털 숫자가 적힌 숫자 카드 4장으로 만들 수 있는 모든 세 자리 수는 다음 조건을 만족합니다.

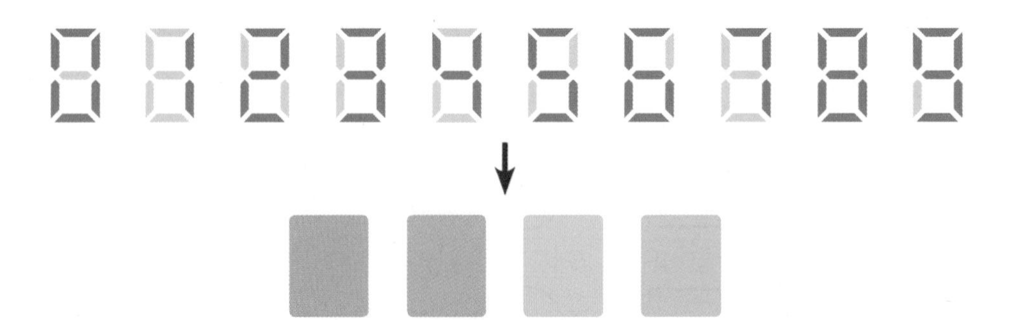

조건

① 카드의 숫자는 반 바퀴 돌려도 숫자로 보입니다.

② 카드로 만든 수는 짝수여야 합니다.

이 카드로 만들 수 있는 가장 작은 세 자리 수를 구하시오.

접는 선

03 백의 자리 숫자보다 십의 자리 숫자가, 십의 자리 숫자보다 일의 자리 숫자가 큰 세 자리 수를 만들면 다음과 같습니다.

123, 124, 125, 126, ····

백의 자리 숫자가 1인 수는 몇 개인지 구하시오.

십의 자리 숫자가 1 커질 때마다 일의 자리 숫자로 쓸 수 있는 숫자의 개수가 하나씩 줄어듭니다.

TOP of TOP

04 네 장의 서로 다른 숫자 카드를 크기 순으로 나열했습니다.

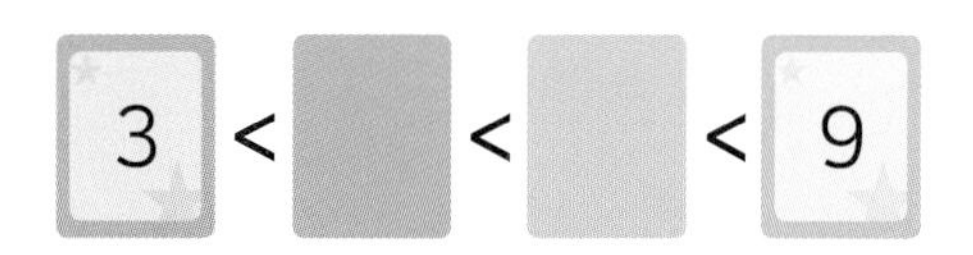

숫자 카드로 만든 가장 큰 세 자리 수와 가장 작은 세 자리 수의 차가 똑바로 읽으나 거꾸로 읽으나 똑같을 때, 뒤집어진 카드의 숫자를 구하시오.

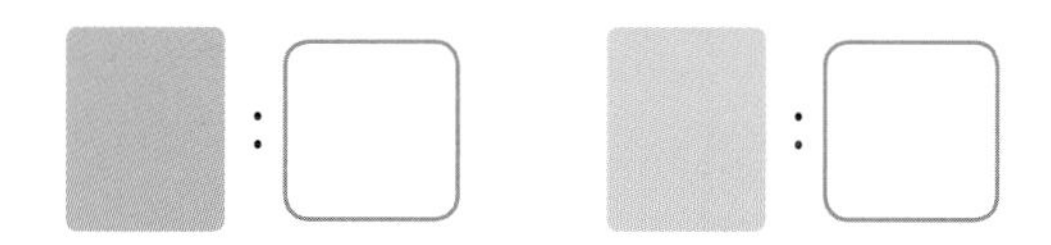

차의 일의 자리 숫자가 6이 되어야 하기 때문에 초록색 카드 숫자가 주황색 카드 숫자보다 4 더 큽니다.

접는 선

TOP 사고력 수학

3. 거울에 비친 모양

생각열기

색종이 접어서 구멍 뚫기

탐구주제

1. 색종이 자르기

예비활동

1-1. 2번 접어 자르기 / 두 번 뒤집기

1-2. 투명한 종이 접어 겹치기 / 겹치는 모양 찾기

1-3. 겹치는 그림 / 대칭축 찾기

2. 거울에 비친 시계

2-1. 거울 속의 바늘 시계 / 시계 뒤집기

예비활동 동영상

2-2. 거울 속의 디지털 숫자 / 숫자 뒤집기

TOP 사고력

생각열기

색종이 접어서 구멍 뚫기

색종이를 한 번 접고 구멍을 3번 뚫은 뒤 펼쳤습니다. 그림을 보고 색종이를 접은 선을 찾습니다.

보통은 색종이를 한 번 접고 구멍을 1번 뚫은 후 펼치면 서로 짝인 구멍이 2개 생기고, 접은 선으로부터 두 구멍의 거리가 같은데...

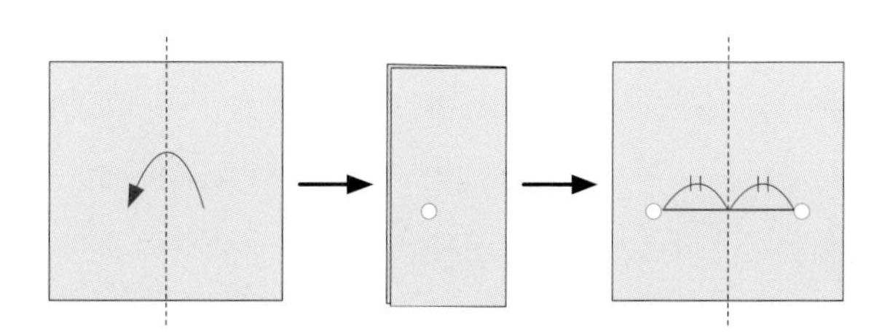

구멍을 3번 뚫었는데 펼친 종이엔 구멍이 6개가 아닌 이유가 뭘까?

색종이 위에 접은 선을 그려 보시오.

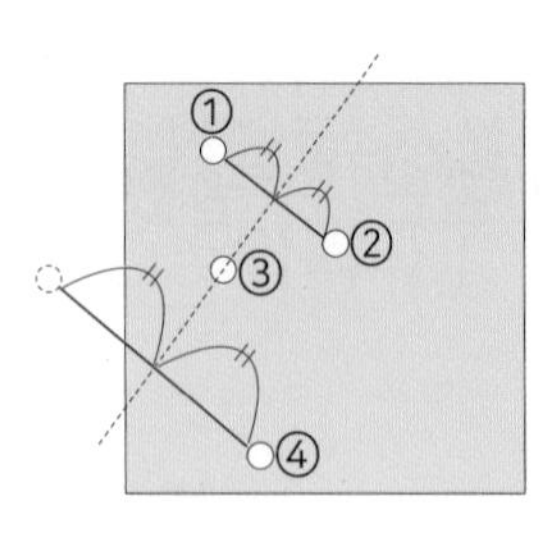

①, ②번 구멍은 접은 선을 기준으로 같은 거리에 있기 때문에 서로 짝이 돼. ③번 구멍은 접은 선에 걸쳐 있고 ④번 구멍은 접은 선을 기준으로 같은 거리인 곳이 종이를 벗어나기 때문에 짝이 없어.

이와 같이 접은 선을 찾을 때는 짝이 되는 구멍이 있는지 살펴봐야 해.

색종이를 접어서 다음과 같이 구멍을 뚫었습니다. 구멍 뚫린 색종이를 펼쳤을 때 구멍의 위치를 아래에 그리시오.

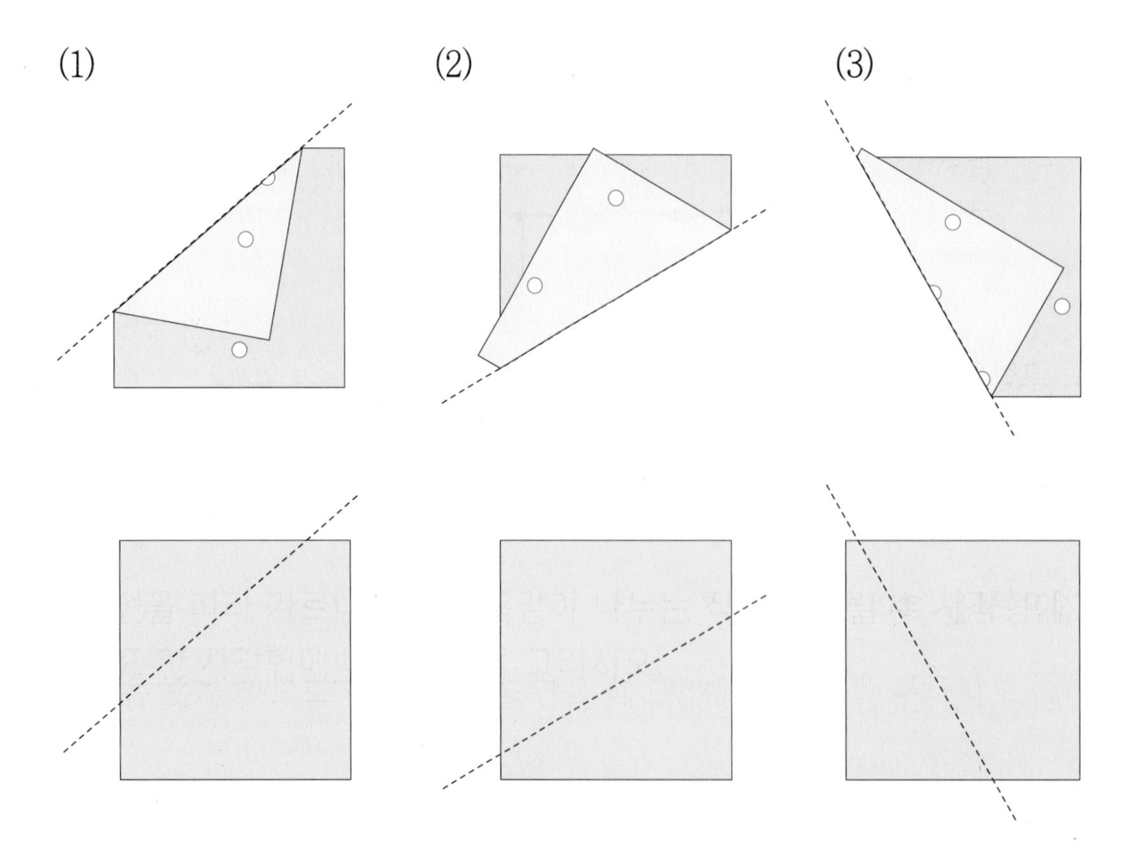

색종이 자르기

색종이를 점선을 따라 접었을 때의 모양을 찾아보려고 합니다.

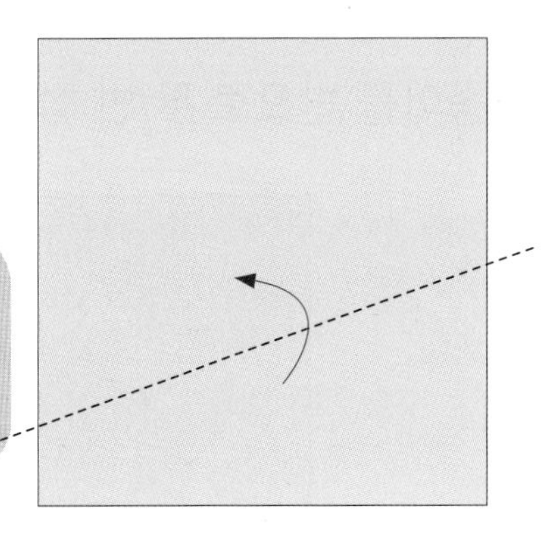

접었을 때 모양을 그릴 줄 알아야 펼쳤을 때의 모양도 그릴 수 있어.

아래의 색종이를 접었을 때 빨간색 꼭짓점이 놓이는 위치를 나타내시오.

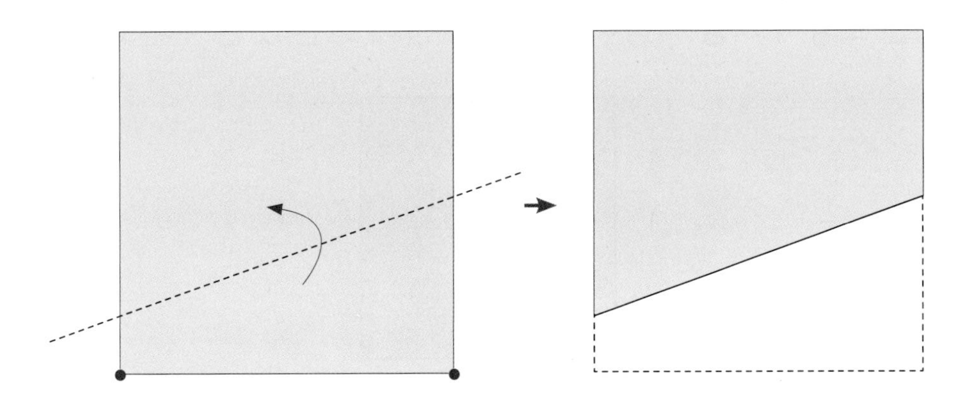

꼭짓점의 위치를 이용하여 접은 색종이 모양을 그리시오.

아래의 색종이를 접은 모양을 그리시오.

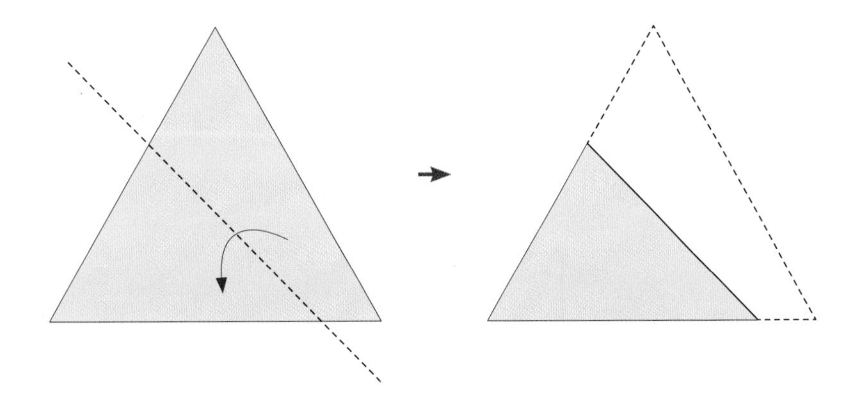

색종이 자르기

예비 활동 가이드 3쪽

탐구 유형 1-1 2번 접어 자르기

색종이를 반으로 두 번 접어서 색칠된 부분을 가위로 자른 후 펼친 모양을 그리시오.

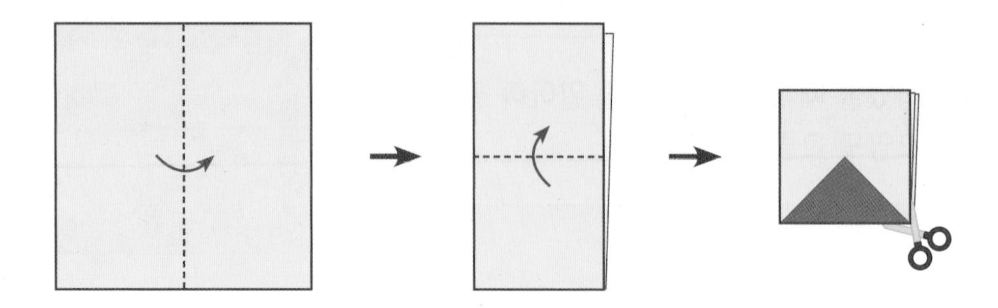

Point 한 번 접은 색종이에 잘린 모양을 먼저 그린 다음 처음 색종이에 잘린 모양을 그립니다.

(1) 두 번 접은 모양이 처음 색종이의 어느 부분에 모인 것인지 번호를 고르시오.

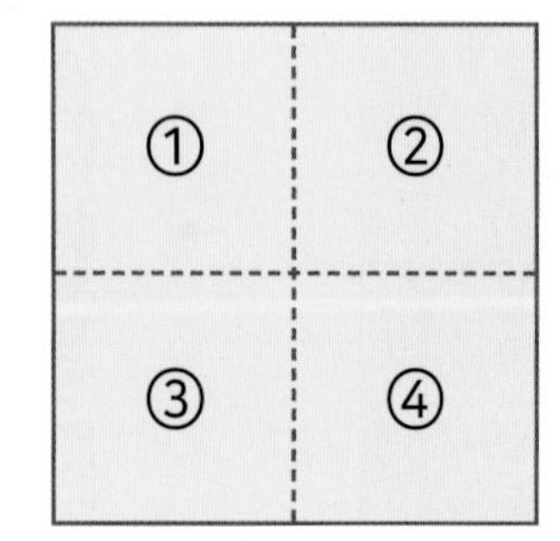

(2) 색종이를 한 번 접은 모양에 잘린 모양을 그리시오.

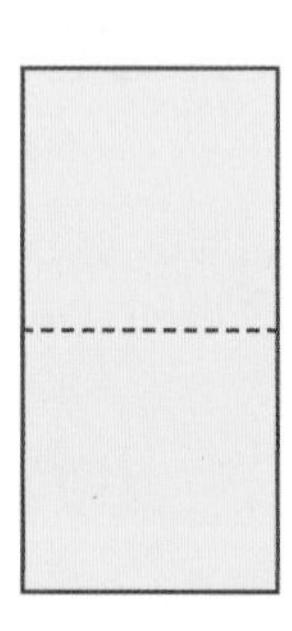

(3) 자른 후 펼친 모양을 색종이에 그리시오.

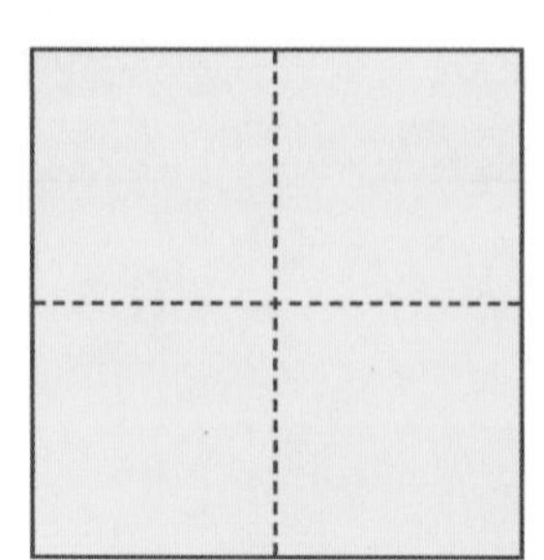

연습 01 색종이를 반으로 두 번 접고 색칠된 부분을 가위로 자른 후 펼친 모양을 그리시오.

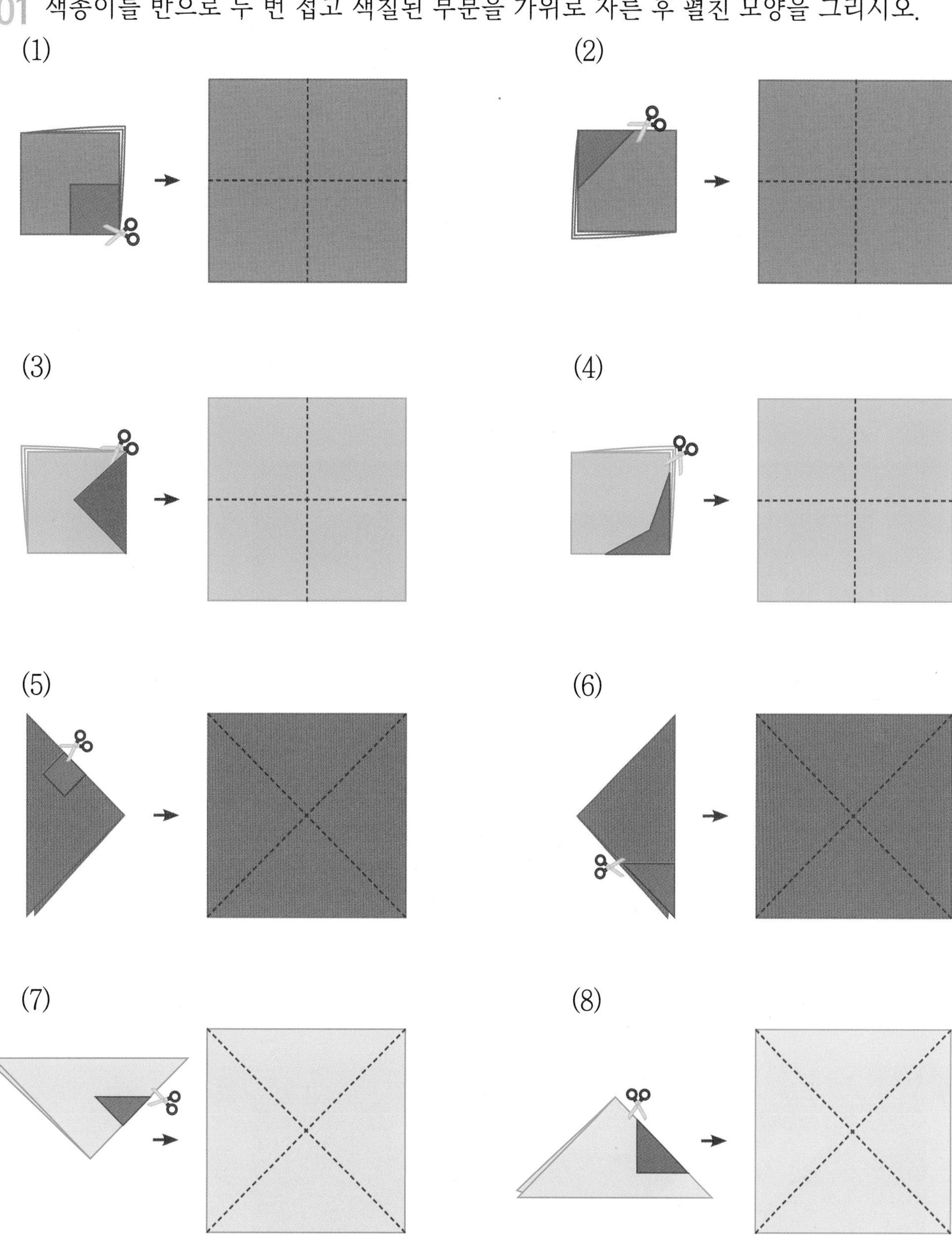

색종이 자르기

연습 02 왼쪽 그림은 색종이를 반으로 두 번 접어서 자른 후 펼친 모양입니다. 두 번 접은 색종이 위에 자른 선을 그리시오.

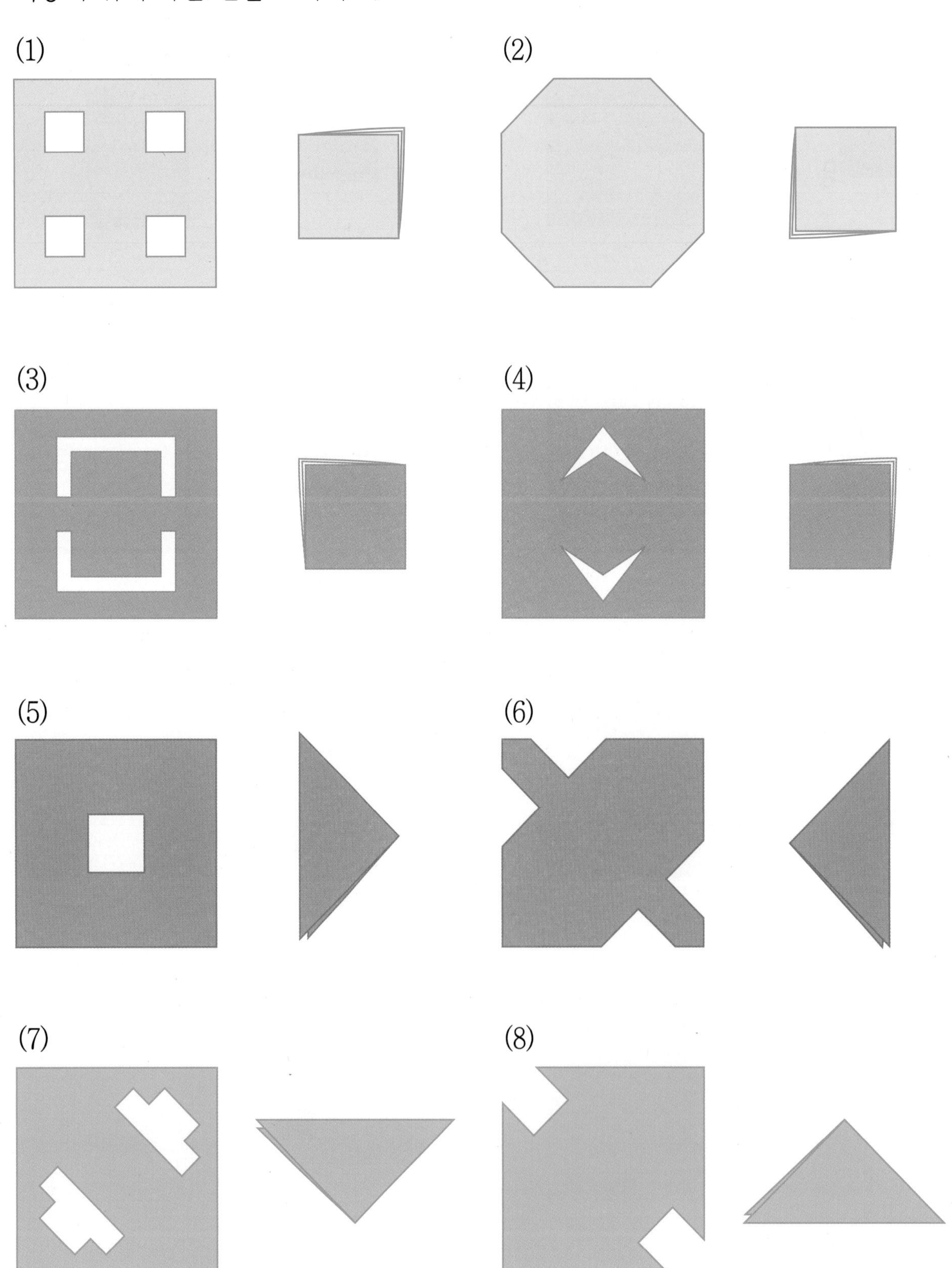

탐구 유형 1-2 투명한 종이 접어 겹치기

오른쪽 그림은 선을 그린 투명 종이를 반으로 두 번 접은 모양입니다.

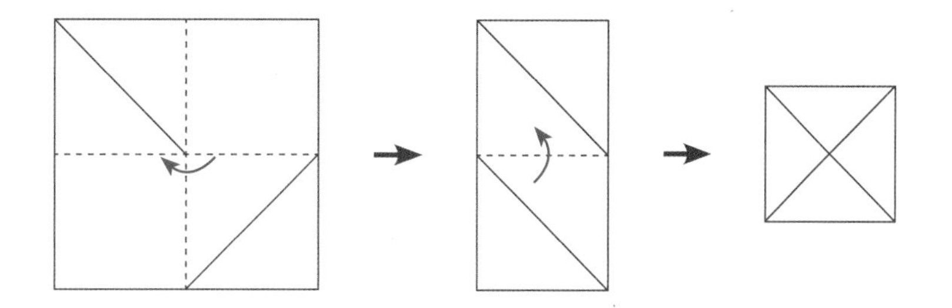

○의 위치를 보고 왼쪽의 투명 종이를 반으로 두 번 접은 모양을 빨간색 □ 안에 그리시오.

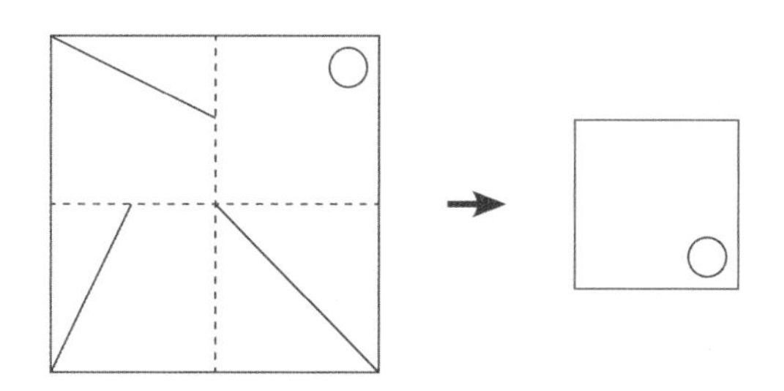

Point 한 번 접은 종이에 겹친 모양을 먼저 생각합니다.

(1) 두 번 접은 모양이 처음 투명 종이의 어느 부분에 모인 것인지 번호를 고르시오.

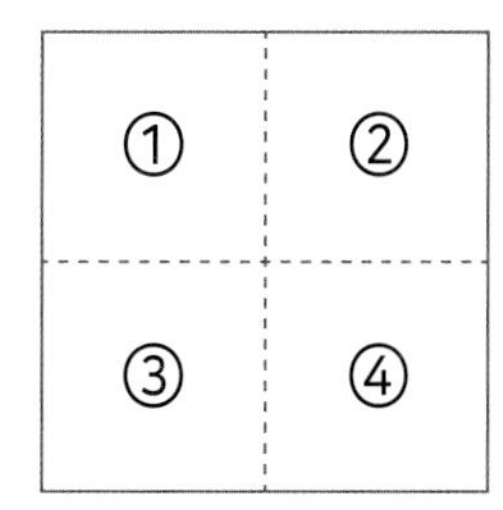

(2) 색종이를 두 번 접은 종이에 겹친 모양을 그리시오.

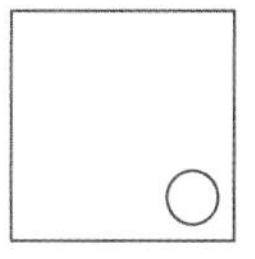

색종이 자르기

연습 01 오른쪽 그림은 투명 종이를 반으로 두 번 접은 모양입니다.

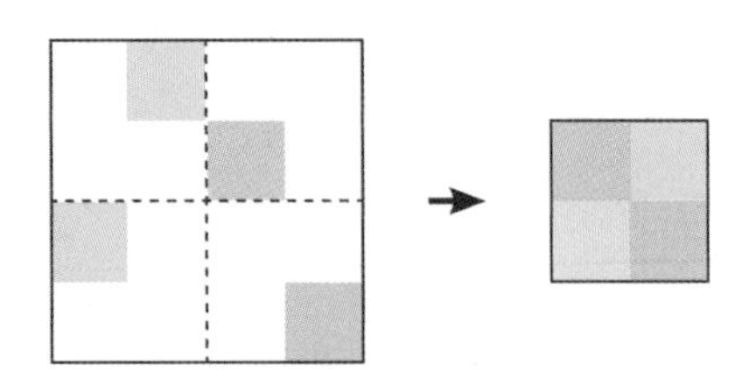

같은 방법으로 아래의 투명 종이를 두 번 접은 모양을 그리시오.

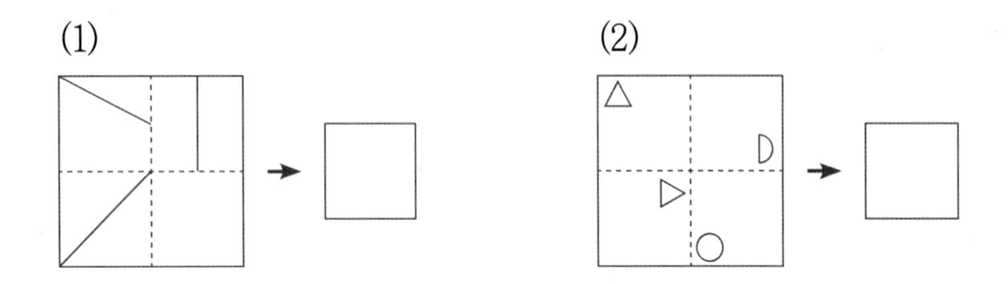

연습 02 투명 종이를 반으로 두 번 접은 모양을 그리시오.

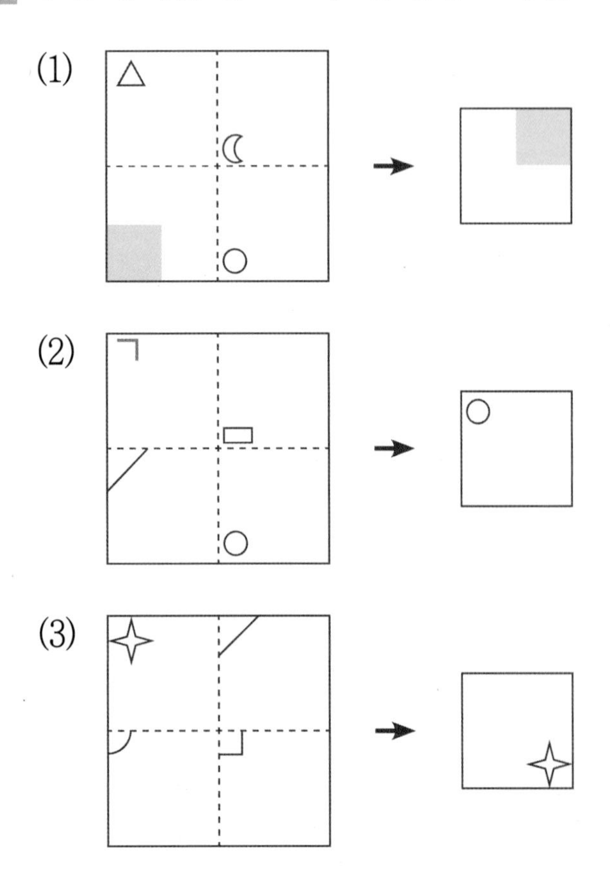

탐구 유형 1-3 겹치는 그림

다음 두 종이를 빨간색 선을 따라 반으로 접으면 색칠된 칸이 완전히 겹칩니다.

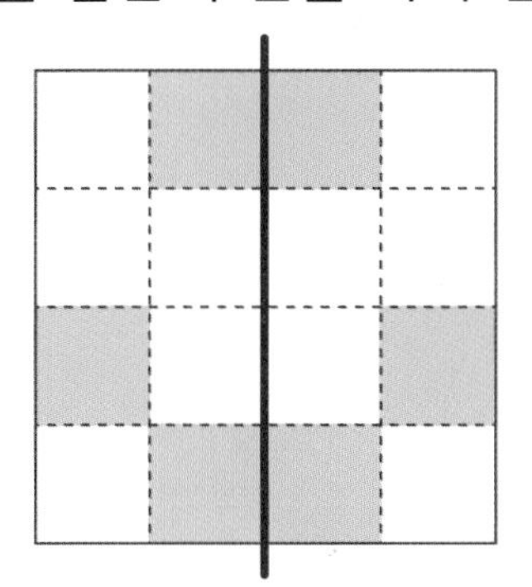
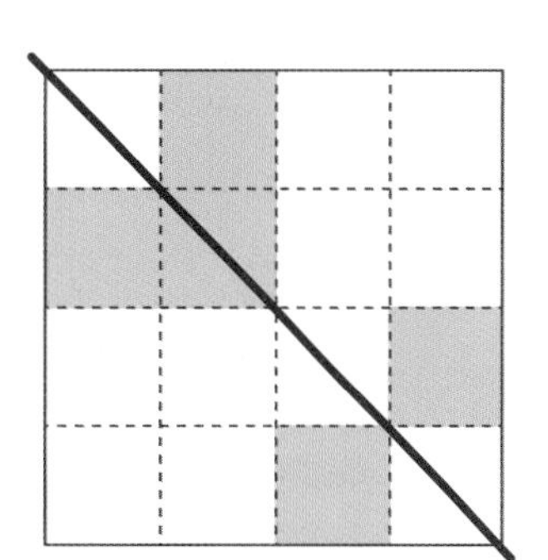

빈칸을 가장 적게 색칠하여 반으로 접으면 완전히 겹치는 그림을 만들고, 접는 선을 그리시오.

(1)

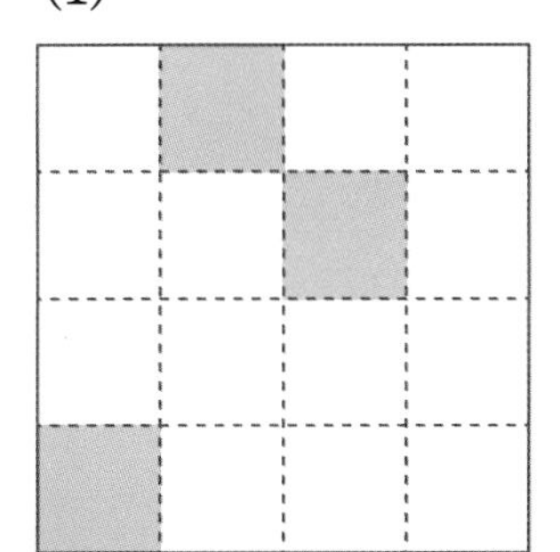

(2)

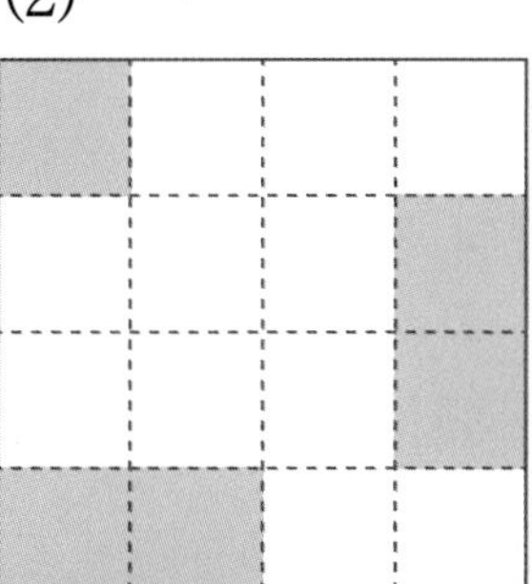

(3)

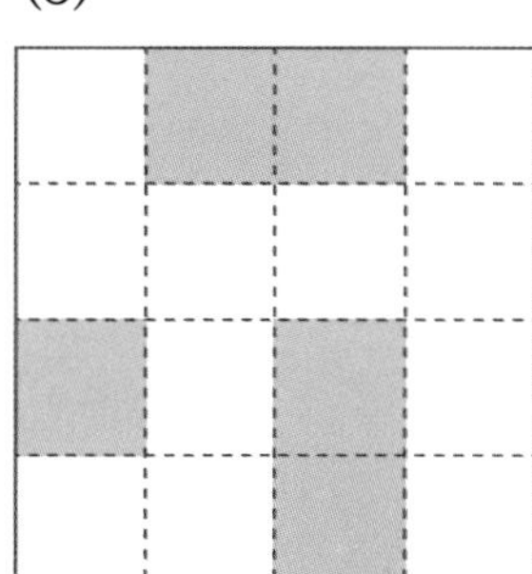

Point 종이를 반으로 접는 방법은 4가지가 있습니다.

연습

01 아래는 투명한 종이에 칸을 나누어 색칠한 것입니다. 빈칸이 보이지 않게 반으로 접는 선을 그리시오.

(1)

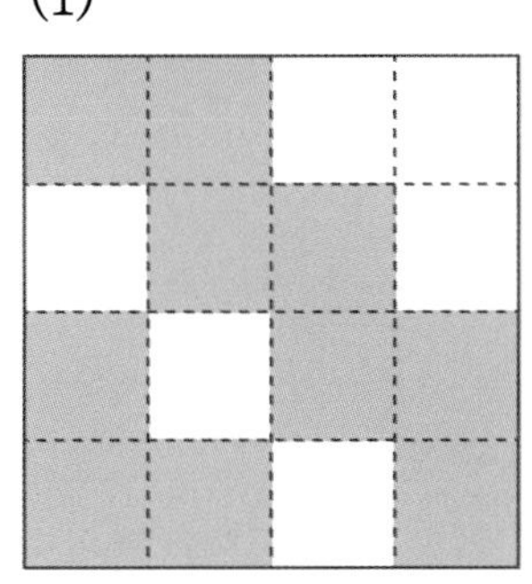

(2)

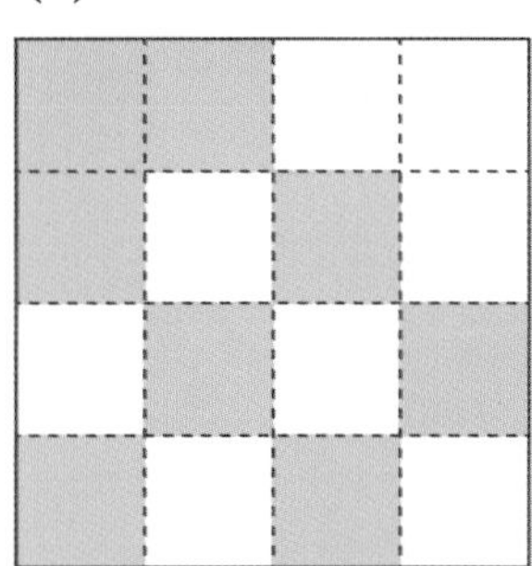

(3)

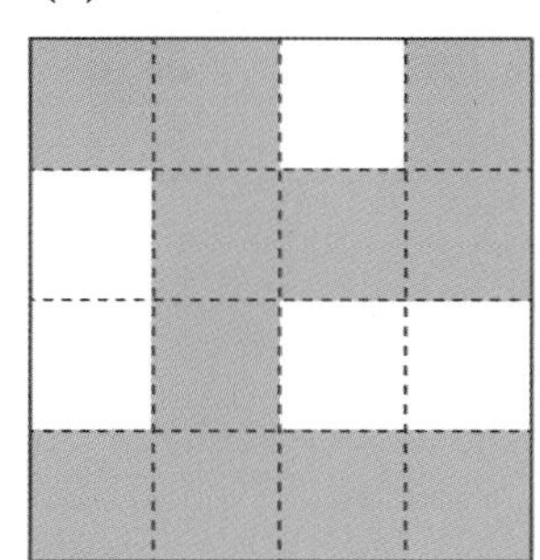

연습 02 두 종이의 빈칸을 가장 적게 색칠하여 색칠된 칸끼리 완전히 겹치는 그림을 만들고, 접는 선을 그리시오. 단, 반으로 접지 않아도 됩니다.

(1)

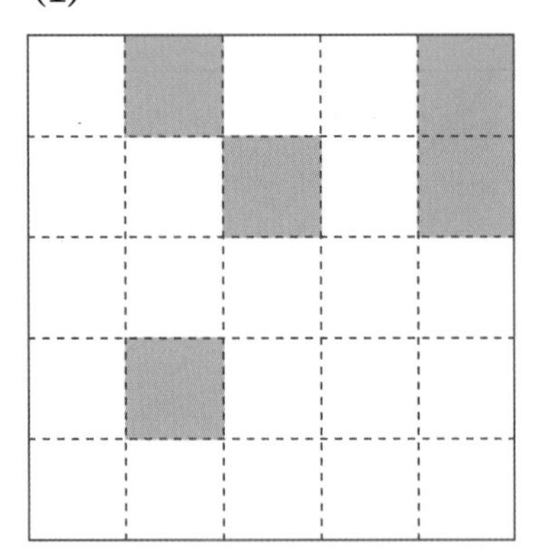

(2)

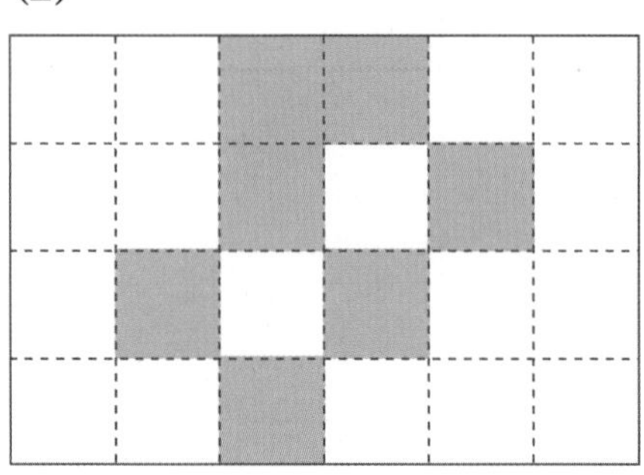

연습 03 투명한 종이를 반으로 접으면 색칠된 부분의 넓이가 줄어듭니다.

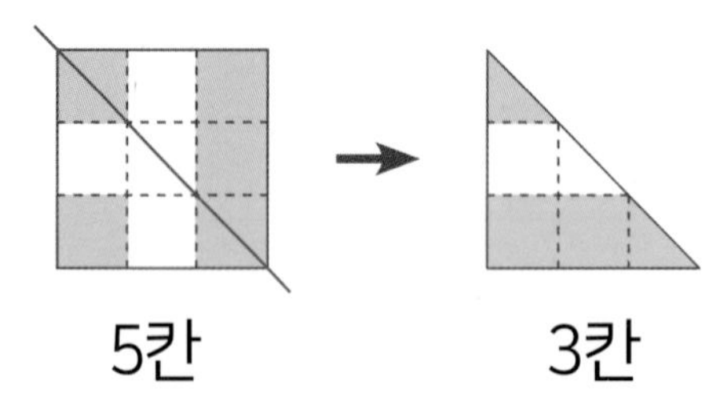

반으로 접는 방법에 따라 색칠된 부분의 넓이가 다를 수 있습니다. 색칠된 부분이 가장 넓도록 접는 선을 그리시오.

(1)

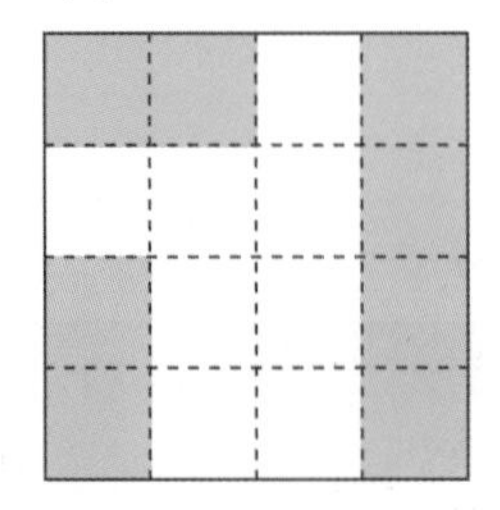

(2)

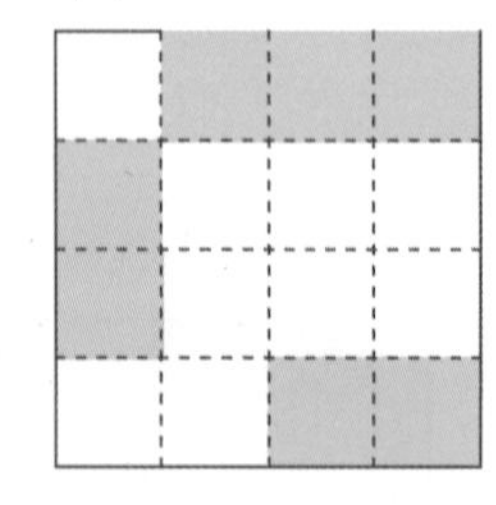

2 거울에 비친 시계

다음은 시계와 거울에 비친 시계가 나타내는 시각입니다.

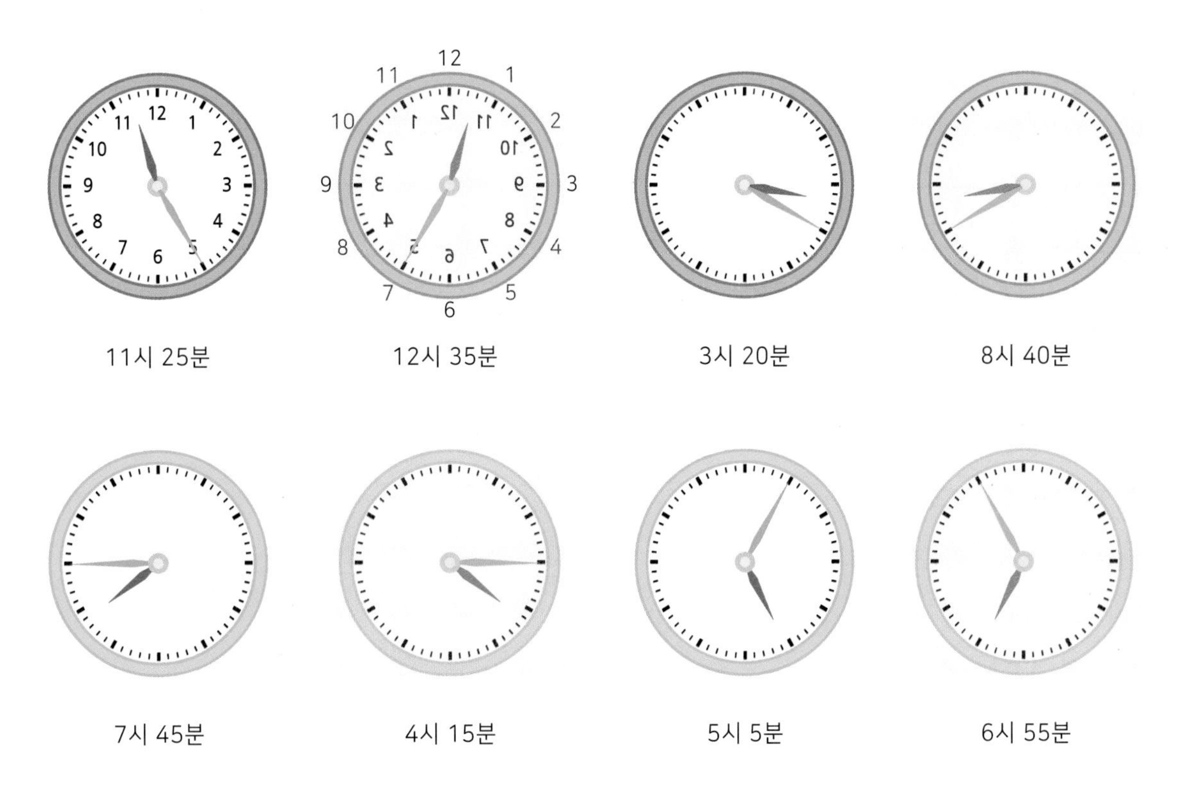

원래 시계와 거울에 비친 시계의 시각의 합을 구하고, 규칙을 찾아보시오.

시계 문제를 풀 때 특별한 말이 없으면 시계 옆에 거울을 세워 놓는다고 생각하면 돼! 바늘의 위치로 시각을 구하는 게 가장 간단하지만 규칙도 확인할 수 있어.

원래 시계와 거울에 비친 시계의 시각 중 하나는 6시 또는 12시를 기준으로 똑같은 시간을 뺀 시각이고, 다른 하나는 더한 시각이야. 예를 들어 5시 5분은 (6시)-(55분)이고, 6시 55분은 (6시)+(55분)이야.

즉, 두 시각의 합은 6시의 2배이거나 12시의 2배가 되는 거지.

탐구주제

2 거울에 비친 시계

탐구 유형 2-1 거울 속의 바늘 시계

다음은 거울에 비친 시계입니다. 1시간 15분 후의 거울 속 시계의 바늘을 그리시오.

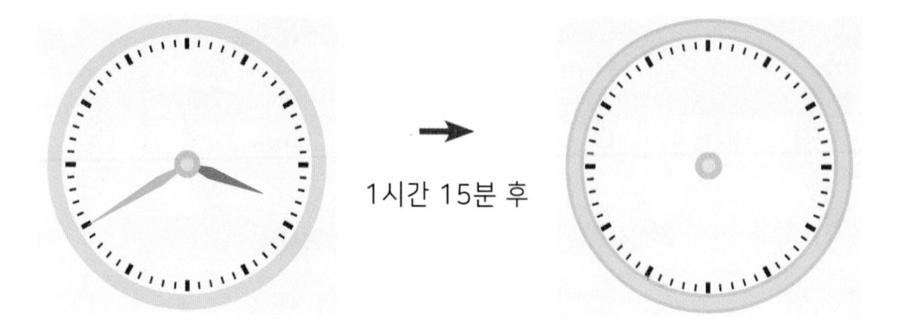

Point 거울에 비친 시계의 바늘이 돌아가는 방향은 원래 시계와 반대입니다.

(1) 현재 시각을 구하시오.

(2) 1시간 15분 후의 시각을 구하시오.

(3) 빈 시계에 바늘을 그려 넣으시오.

연습 01 2시간 전의 시계를 거울로 보니 아래와 같습니다. 오른쪽 시계에 현재 시각을 나타내도록 바늘을 그리시오.

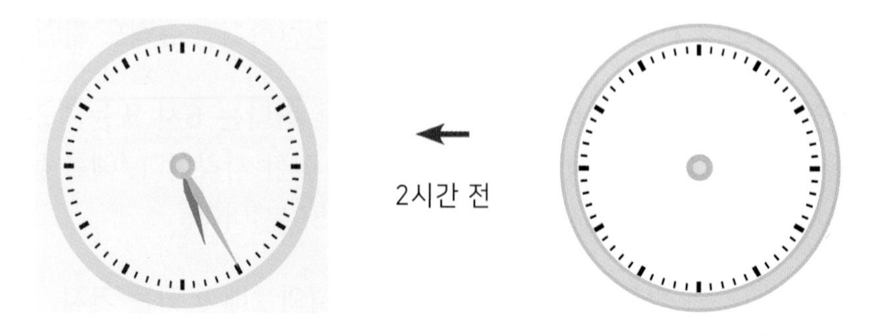

연습

02 오른쪽 시계가 나타내는 현재 시각을 보고 1시간 30분 전에 거울에 보이는 시각을 그리시오.

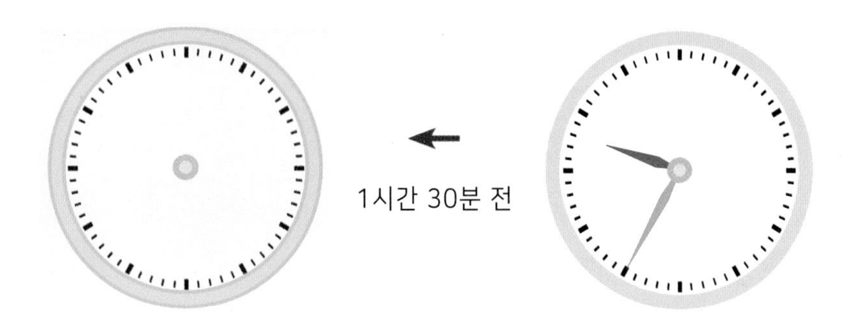

연습

03 두 시계를 거울로 본 모양입니다. 두 시계가 나타내는 실제 시각의 합을 구하시오.

거울에 비친 시계

예비 활동 가이드 4,5쪽

거울에 비친 모양

탐구 유형 2-2 거울 속의 디지털 숫자

다음과 같이 시각을 나타내는 디지털 시계가 있습니다. 밤 12시 정각부터 12시간 동안 시계 옆에 거울을 세워놓고 관찰했을 때 거울에 비친 시각과 원래 시각이 같은 시각은 몇 번입니까?

3시 26분

12시 40분

Point 거울에 비친 모양이 숫자가 되는 것을 먼저 찾아봅니다.

(1) 거울에 비친 모양이 원래와 똑같은 숫자를 모두 쓰시오.

(2) 거울에 비친 모양이 다른 숫자로 보이는 숫자를 모두 쓰시오.

(3) 12시간 동안 거울에 비친 시각과 원래 시각이 같은 것은 몇 번입니까?

연습

01 다음과 같이 날짜를 나타내는 디지털 달력이 있습니다. 1년 동안 거울에 비친 날짜와 원래 날짜가 같은 날은 며칠 있는지 구하시오.

2월 8일

10월 17일

연습 02 디지털 시계를 옆에 있는 거울로 봤더니 거울 속의 시계는 실제 시각보다 3시간 30분 후의 시각을 나타냅니다. 현재 시각을 구하시오.

연습 03 디지털 숫자를 사용하여 한 자리 수 두 개를 더해 두 자리 수가 나오는 덧셈식을 만들었습니다. 위에 놓인 거울로 봐도 똑같도록 디지털 숫자로 덧셈식을 만드시오.

화살표 방향의 반대 순서로 자른 선을 그려봅니다.

01 색종이를 반으로 세 번 접어서 색칠된 부분을 가위로 자른 후 펼친 모양을 그리시오.

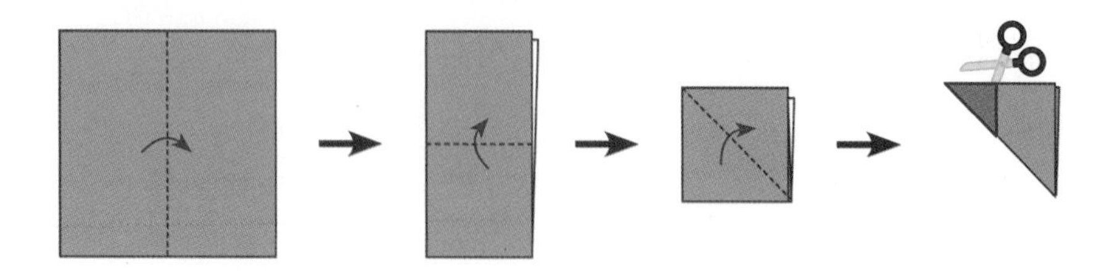

반으로 접을 때 밑에 깔린 부분이나 위에 놓인 부분 모두 뚫린 부분에만 잉크를 칠할 수 있습니다.

02 구멍 난 종이를 다른 종이 위에 놓고 잉크가 묻은 붓으로 칠하면 다음과 같이 구멍 모양이 찍힙니다.

구멍 난 색종이를 반으로 접어 롤러로 붓으로 칠해서 나올 수 없는 모양에 ○표 하시오.

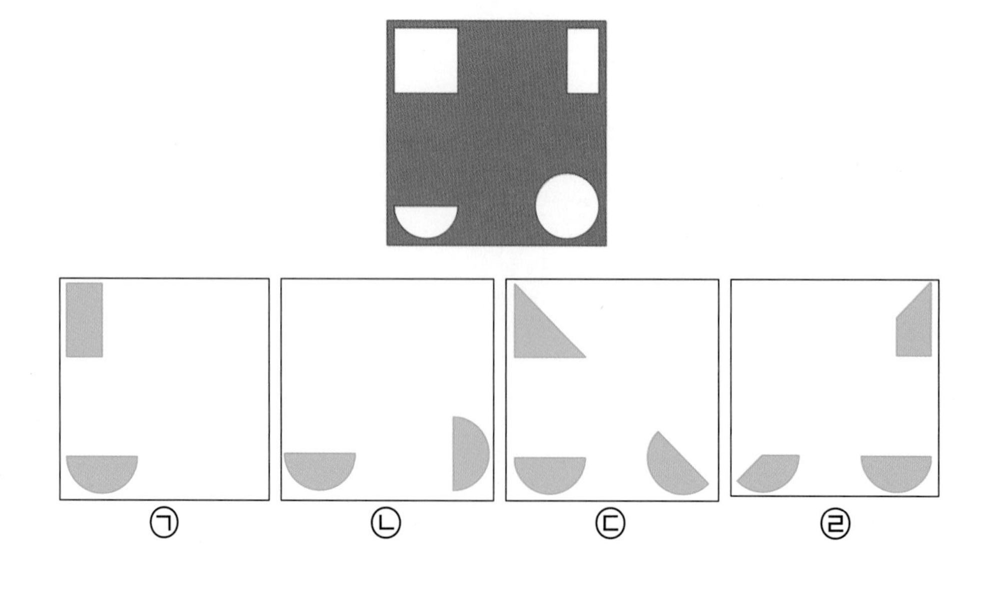

접는 선

03 거울 속의 바늘 시계가 원래 시계보다 5시간 이후를 가리킵니다. 현재 시각으로 가능한 것을 모두 구하시오.

거울 속의 시계와 원래 시계가 가리키는 시각의 중간은 6시 또는 12시입니다.

TOP of TOP

04 같은 시각을 나타내는 바늘 시계와 디지털 시계를 옆에 있는 거울로 보았습니다.

디지털 시계는 거울로 봐도 같은 시각으로 보이고 거울 속 두 시계의 시각의 차는 1시간 20분입니다. 원래 시계가 가리키는 시각을 구하시오.

바늘 시계로 보았을 때 거울 속의 시계와 1시간 20분 차이 나는 것을 먼저 구합니다.

접는 선

TOP 사고력 수학

4. 도형의 개수

생각열기

남는 점을 이용하라!

탐구주제

1. 크고 작은 도형의 개수

1-1. **접어서 자른 모양** / 잘라진 도형의 개수

1-2. **크고 작은 삼각형** / 삼각형의 개수

1-3. **크고 작은 사각형** / 사각형의 개수

2. 점판 위의 도형의 개수

동영상
2-1. **점을 이은 도형** / 점을 이은 도형의 개수

동영상
2-2. **점판 위의 정사각형** / 정사각형의 개수

동영상
2-3. **점판 위의 정삼각형** / 정삼각형의 개수

TOP 사고력

남는 점을 이용하라!

4개의 점 중에서 3개를 이어서 그릴 수 있는 삼각형의 개수를 구하려고 합니다.

전 이렇게 개수를 세거나 여러 가지를 구하는 문제가 어려워요.

맞아. 일단 순서를 정해서 하나하나 찾아봐야 할 것 같아.

너희들 말이 맞아. 하지만 이 문제는 삼각형을 그리고 남는 점을 이용하면 생각보다 쉽게 답을 알 수 있어.

선생님의 말이 무슨 뜻일까요? 삼각형의 개수를 구하시오.

점이 4개 있으면 삼각형 1개를 그리고 점이 1개 남게 되지.

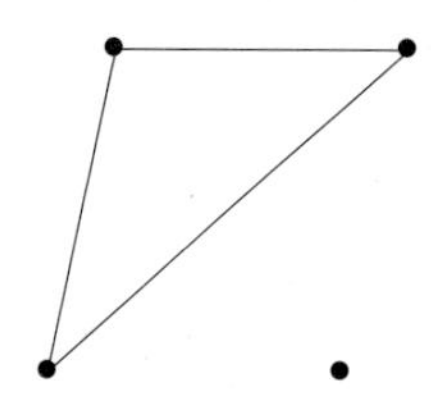

남는 점을 이용하라는 말은 삼각형을 그리고 남는 점 1개를 세는 것이 더 간단하다는 뜻이야. 4개의 점 중에서 1개를 고르는 방법은 4가지가 있고, 삼각형을 그리는 방법도 4가지야.

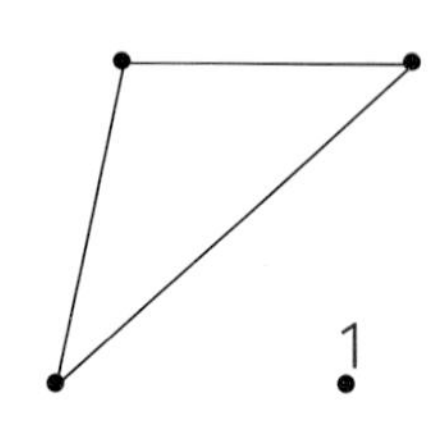

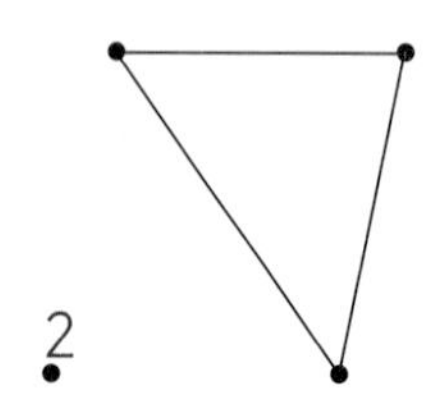

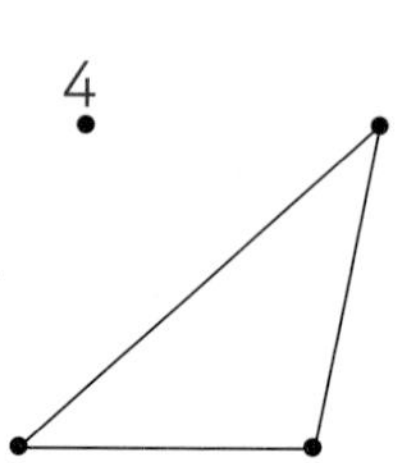

5개의 점 중에서 4개를 이어서 그릴 수 있는 사각형은 몇 개입니까?

크고 작은 도형의 개수

탐구 유형 1-1 접어서 자른 모양

색종이를 반으로 두 번 접어서 빨간색 선을 따라 자르고, 종이를 펼쳤을 때 나오는 삼각형, 사각형의 개수를 각각 구하시오.

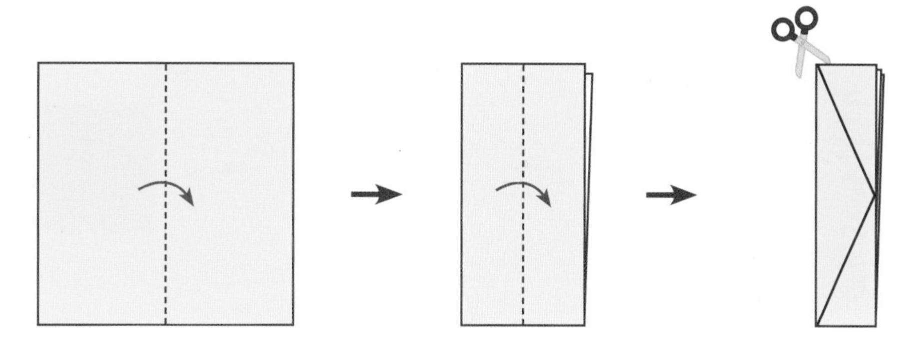

Point 처음 색종이에 잘린 선을 모두 그립니다.

(1) 1번 접은 종이에 자른 선을 그리시오.

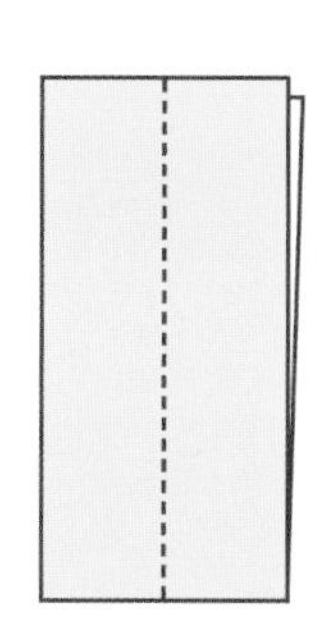

(2) 펼친 색종이에 자른 선을 그리시오.

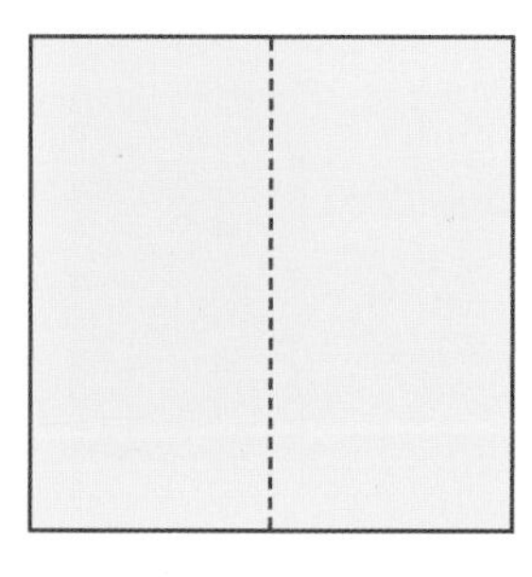

(3) 각 도형의 개수를 구하시오.

삼각형 : □개 사각형 : □개

1 크고 작은 도형의 개수

연습 01 색종이를 반으로 두 번 접어서 빨간색 선을 따라 자르고, 종이를 펼쳤을 때 나오는 삼각형, 사각형, 오각형의 개수를 각각 구하시오.

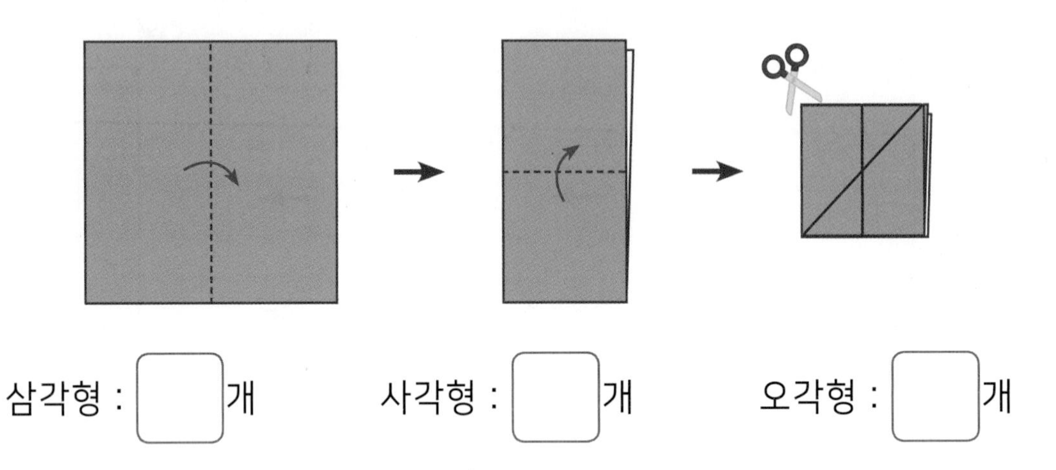

삼각형 : ☐개 사각형 : ☐개 오각형 : ☐개

연습 02 색종이를 두 번 접어서 빨간색 선을 따라 자르고, 종이를 펼쳤을 때 나오는 삼각형의 개수를 구하시오.

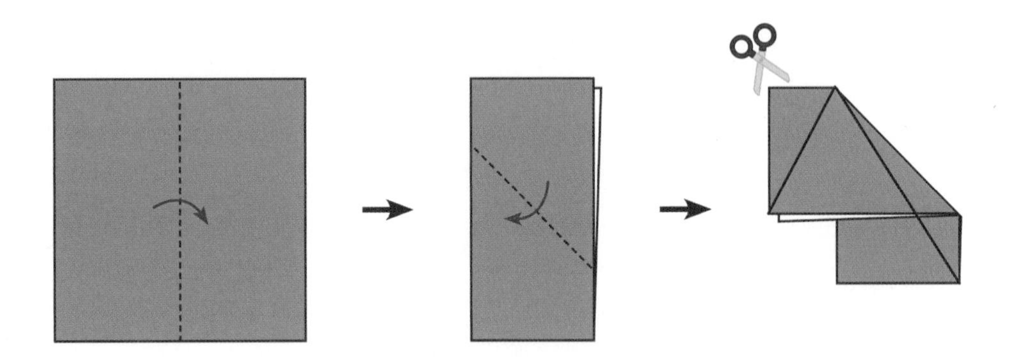

탐구 유형 1-2 크고 작은 삼각형

선을 따라 그릴 수 있는 크고 작은 삼각형의 개수를 구하시오.

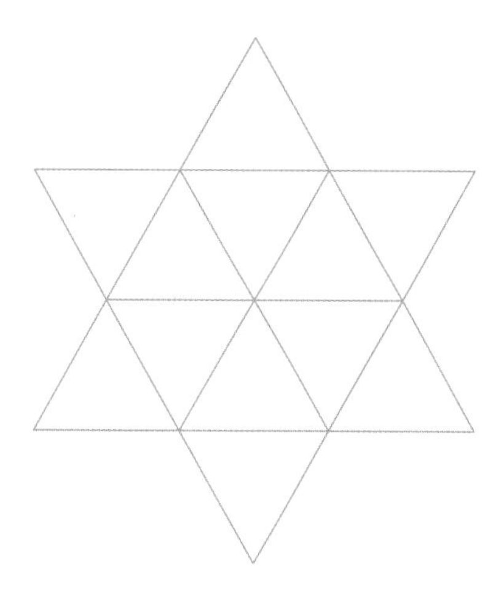

Point 삼각형의 크기별로 개수를 셉니다.

(1) 삼각형의 크기별로 선을 따라 그릴 수 있는 삼각형의 개수를 구하시오.

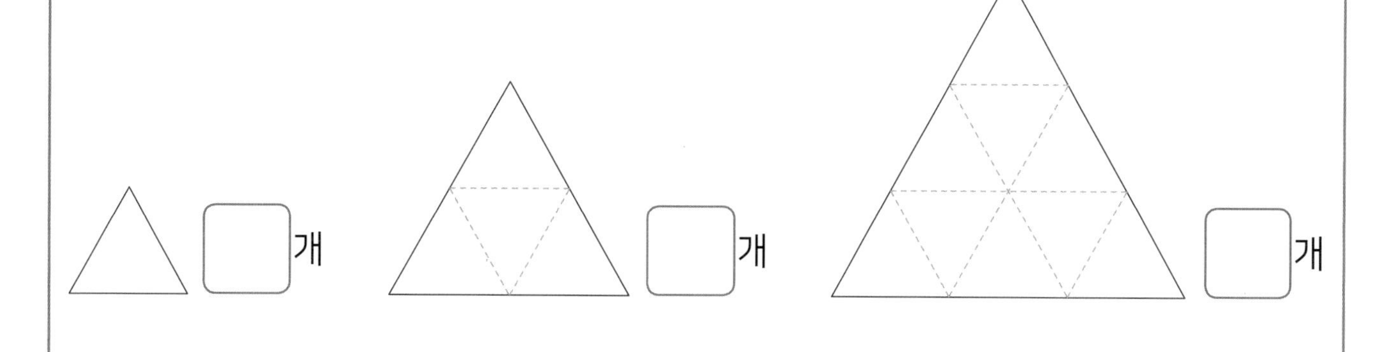

(2) 선을 따라 그릴 수 있는 삼각형은 모두 몇 개입니까?

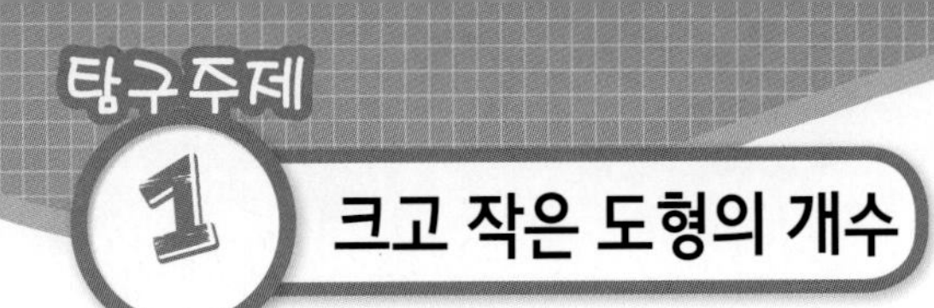

연습 01 선을 따라 그릴 수 있는 크고 작은 삼각형의 개수를 구하시오.

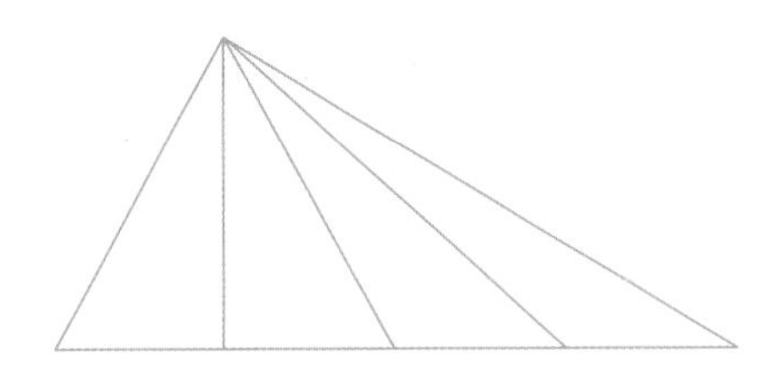

연습 02 선을 따라 그릴 수 있는 크고 작은 삼각형의 개수를 구하시오.

연습 03 빨간색 선분을 한 변으로 하는 삼각형의 개수를 구하시오.

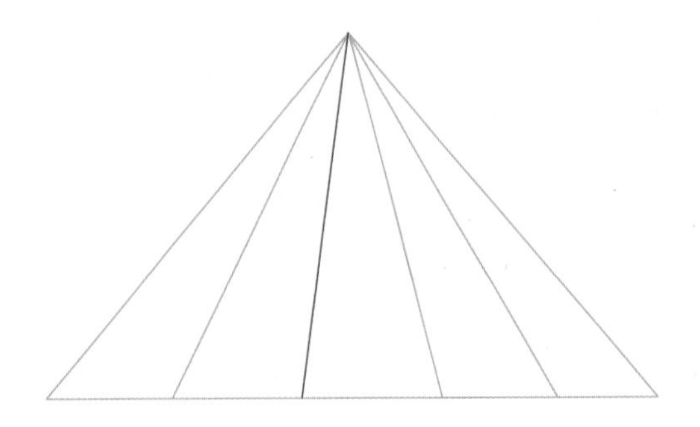

탐구 유형 1-3 **크고 작은 사각형**

선을 따라 그릴 수 있는 크고 작은 사각형의 개수를 구하시오.

Point 작은 사각형을 붙인 개수별로 나누어서 구합니다.

(1) 작은 사각형을 붙인 개수별로 선을 따라 그릴 수 있는 삼각형의 개수를 구하시오.

1개 - ☐개

2개 붙인 사각형 - ☐개

3개 붙인 사각형 - ☐개

4개 붙인 사각형 - ☐개

(2) 선을 따라 그릴 수 있는 크고 작은 사각형은 모두 몇 개입니까?

연습

01 선을 따라 그릴 수 있는 크고 작은 사각형의 개수를 구하시오.

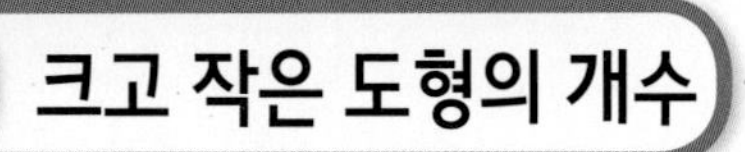

탐구주제 1 크고 작은 도형의 개수

연습 02 선을 따라 그릴 수 있는 크고 작은 사각형의 개수를 구하시오.

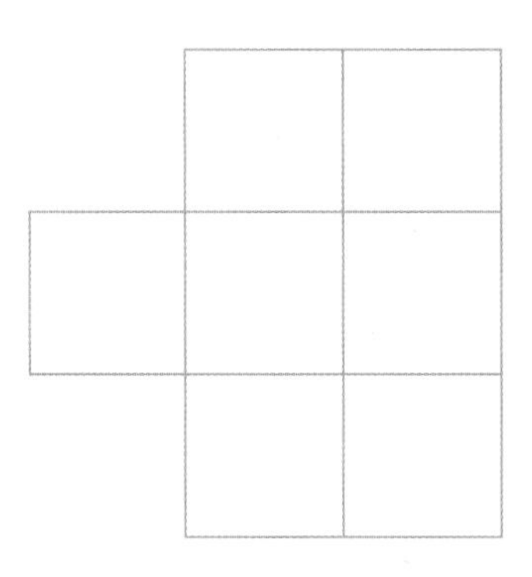

연습 03 색칠된 부분을 포함하는 사각형의 개수를 구하시오.

2 점판 위의 도형의 개수

두 점을 곧게 이은 선을 선분이라고 합니다. 선분은 양끝이 있으므로 길이를 잴 수 있습니다.

특별한 삼각형, 사각형인 정삼각형과 정사각형에 대해 알아봅시다. 정삼각형은 세 변의 길이가 같고, 정사각형은 네 변의 길이가 같습니다.

그림에서 정삼각형과 정사각형은 화살표 방향에서 바라 본 모양이 똑같습니다.

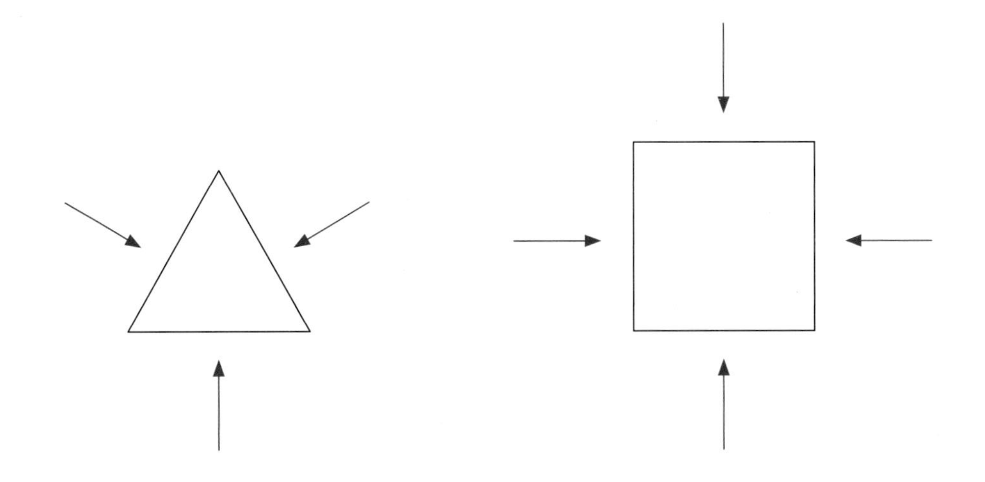

정삼각형과 정사각형을 반으로 접는 선의 개수를 각각 구하시오.

(1) □개

(2) □개

2 점판 위의 도형의 개수

탐구 유형 2-1 점을 이은 도형

점판의 점을 이어서 그릴 수 있는 길이가 다른 선분의 개수를 구하시오.

Point 가장 긴 선분을 그릴 수 있는 점에서 길이가 다른 선분을 모두 그려 봅니다.

(1) 빨간색 점에서 시작하는 길이가 다른 선분을 모두 그리시오.

(2) 점을 이어서 그릴 수 있는 길이가 다른 선분은 몇 개입니까?

연습 01 원 위에 점 8개가 일정한 간격으로 있습니다. 점과 점을 이어 그릴 수 있는 빨간색 선분과 길이가 같은 선분의 개수를 구하시오. 단, 빨간색 선분은 제외하고 셉니다.

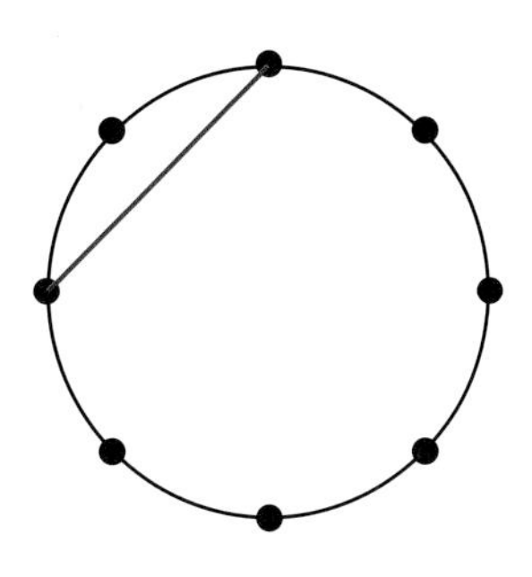

연습 02 오른쪽 점판의 점을 이어서 그릴 수 있는 길이가 서로 다른 선분의 개수를 구하시오.

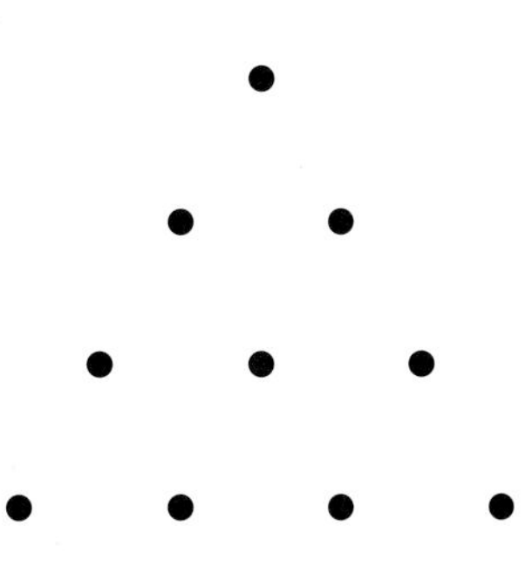

연습 03 빨간색 점에서 시작하는 선분 중 길이가 같은 두 개의 선분을 그리시오.

탐구주제

점판 위의 도형의 개수

점판 위의 정사각형

탐구 유형 2-2 점판 위의 정사각형

점판의 점을 이어서 크기가 서로 다른 정사각형을 그리면 모두 몇 개인지 구하시오.

Point 변이 가로나 세로 방향으로 이웃한 점을 지나가지 않는 정사각형이 2개 있습니다.

(1) 빨간색 선분을 한 변으로 하는 정사각형 3개를 그리시오.

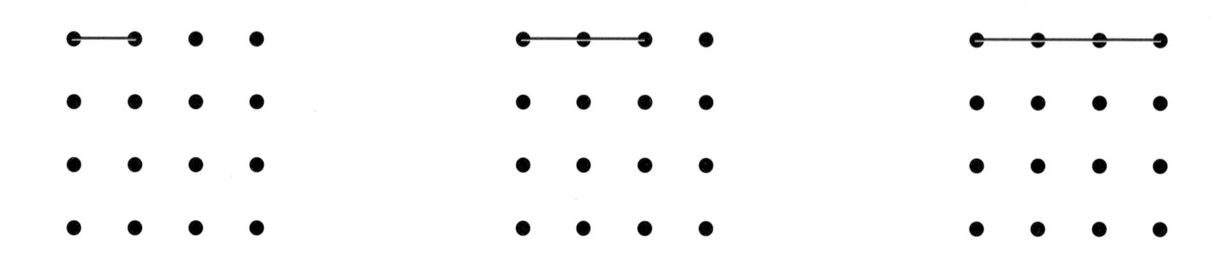

(2) 빨간색 선분을 한 변으로 하는 정사각형 2개를 그리시오.

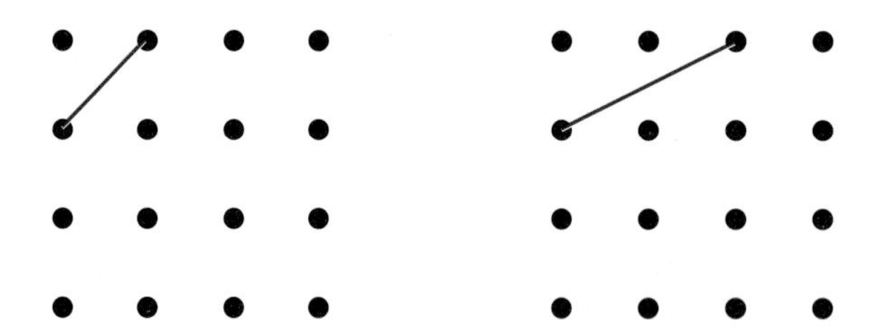

(3) (1), (2)번의 선분과 다른 길이의 선분으로 정사각형을 만들 수 있는지 확인해 보시오.

연습 01 빨간색 선분을 한 변으로 하는 정사각형을 그리시오.

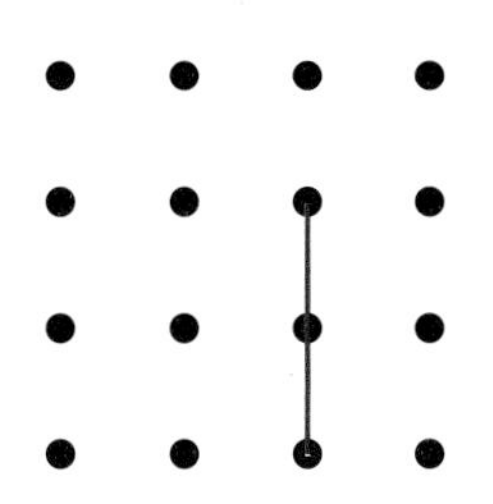

연습 02 점판의 점을 이어서 크기가 서로 다른 정사각형을 그리면 모두 몇 개인지 구하시오.

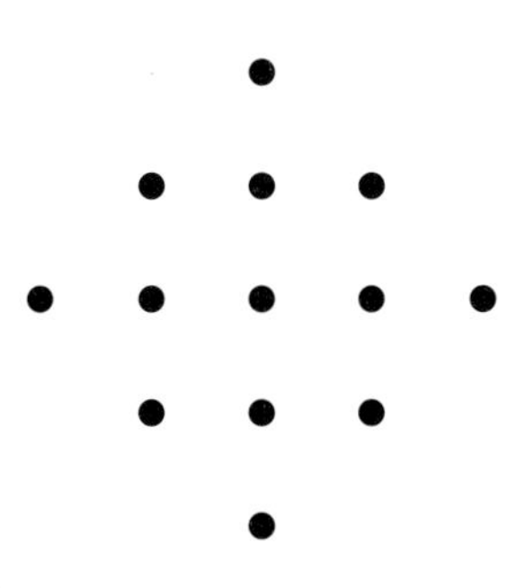

연습 03 원 위에 일정한 간격으로 12개의 점이 있을때 점을 이어 그릴 수 있는 정사각형을 모두 그리시오.

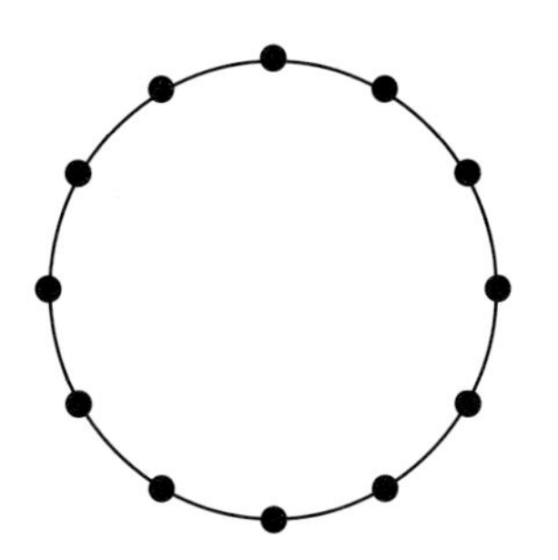

2 점판 위의 도형의 개수

점판 위의 정삼각형

탐구 유형 2-3 점판 위의 정삼각형

점판의 점을 이어서 크기가 서로 다른 정삼각형을 그리면 모두 몇 개인지 구하시오.

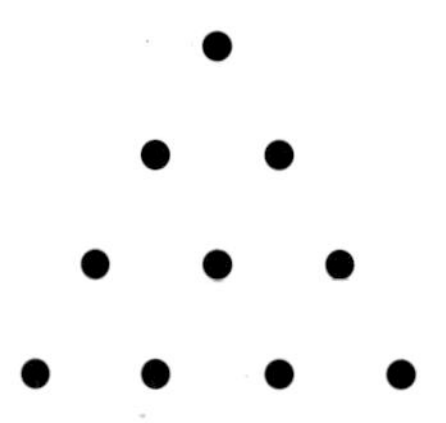

Point 변이 이웃한 점을 지나가지 않는 정삼각형이 1개 있습니다.

(1) 빨간색 선분을 한 변으로 하는 정삼각형 3개를 그리시오.

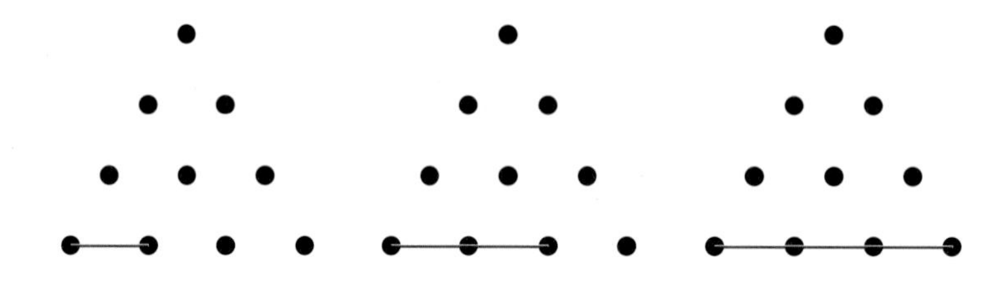

(2) 빨간색 선분이 한 변인 정삼각형 1개를 그리시오.

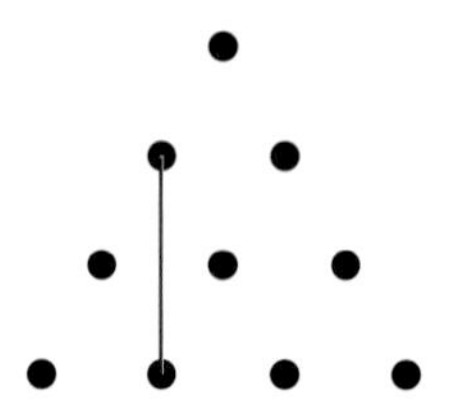

(3) (1), (2)번의 선분과 다른 길이의 선분으로 정삼각형을 만들 수 있는지 확인해 보시오.

연습

01 점판의 점을 이어서 그릴 수 있는 크기가 서로 다른 정삼각형의 개수를 구하시오.

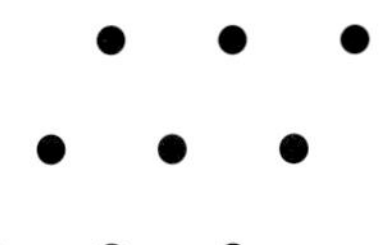

연습

02 빨간색 선분을 한 변으로 하는 정삼각형과 크기가 같은 정삼각형의 개수를 구하시오.

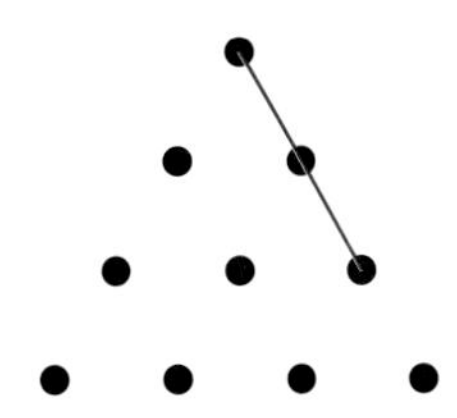

연습

03 원 위에 일정한 간격으로 점이 3개 있으면 점을 이어 정삼각형 1개를 그릴 수 있습니다.

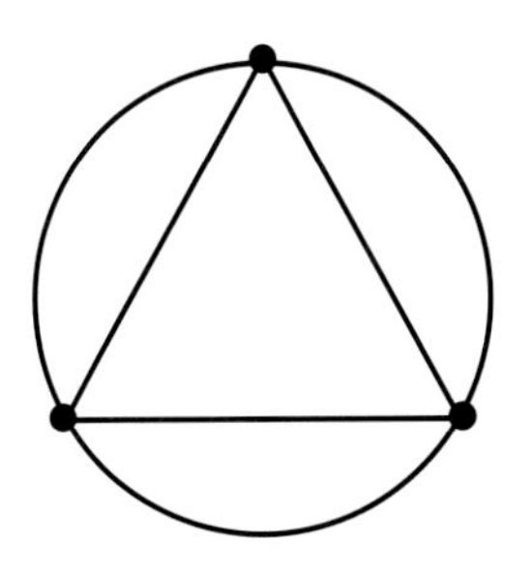

정삼각형 3개를 그리기 위해서 적어도 몇 개의 점이 원 위에 일정한 간격으로 있어야 하는지 구하시오.

자르는 선을 화살표 방향의 반대 순서로 그려봅니다.

01 색종이를 반으로 세 번 접어서 빨간색 선을 따라 자르고, 종이를 펼쳤을 때 나오는 삼각형, 사각형의 개수를 각각 구하시오.

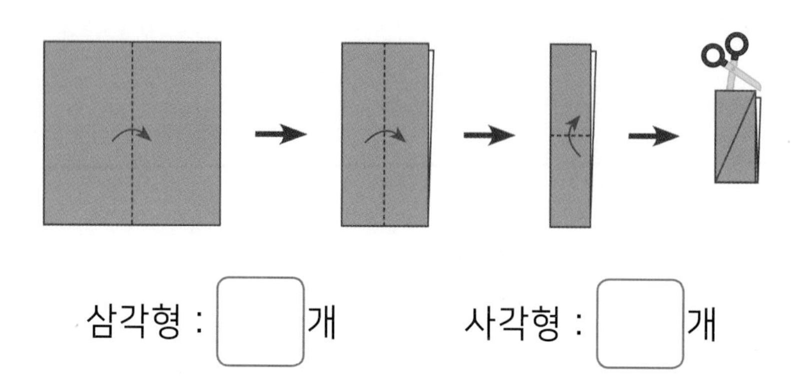

삼각형 : ☐개 사각형 : ☐개

크기별로 나누어 개수를 구합니다.

02 빨간색 선분을 한 변으로 하거나 한 변이 빨간색 선분을 지나는 정삼각형의 개수를 구하시오.

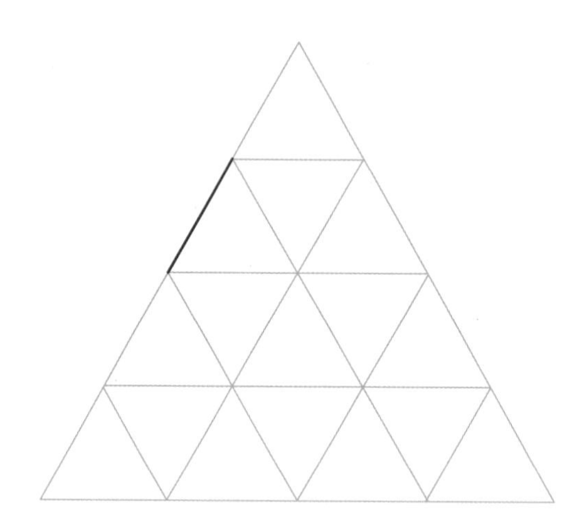

접는 선

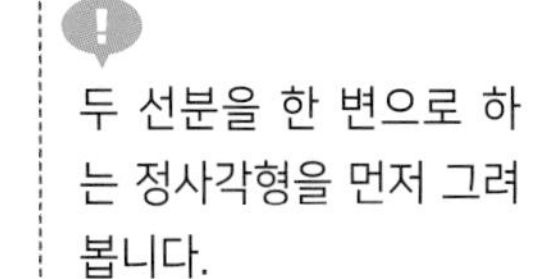

03 빨간색 선분과 초록색 선분 각각을 한 변으로 하는 정사각형이 있습니다. 두 정사각형의 꼭짓점이 하나씩 점판 위의 점 중 하나에서 겹칩니다. 꼭짓점이 겹치는 위치를 찾아 ○표 하시오.

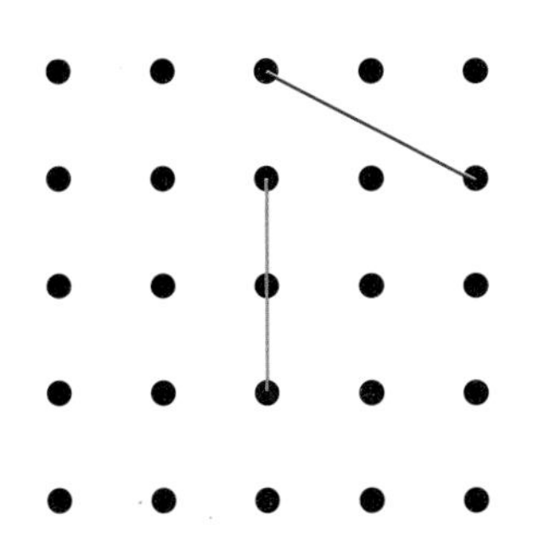

! 두 선분을 한 변으로 하는 정사각형을 먼저 그려 봅니다.

TOP of TOP

04 빨간색 선분을 한 변으로 하는 정사각형이 있습니다. 이 정사각형과 만나지 않는 정사각형을 그리면 모두 몇 개인지 구하시오.

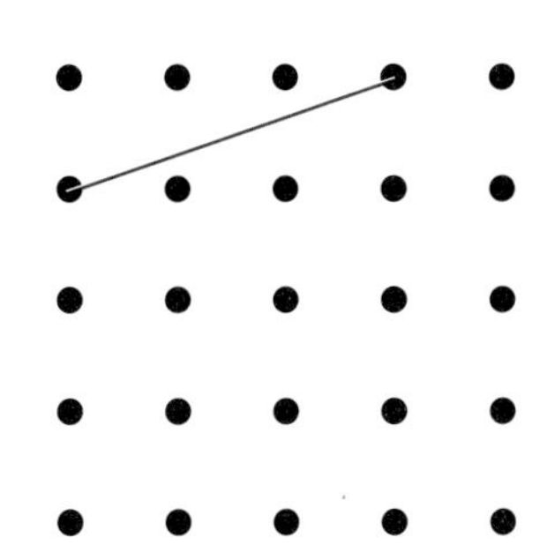

먼저 빨간색 선분을 한 변으로 하는 정사각형을 그립니다.

접는 선

TOP 사고력 쑥쑥

B2	단원	학습 주제	학습 날짜
수	1. 배수와 나머지	1-1. 홀수와 짝수	월/ 일
		1-2. 배수와 나머지	월/ 일
	2. 숫자 카드와 수	2-1. 숫자로 수 만들기	월/ 일
		2-2. 특별한 조건의 수	월/ 일
평면	3. 거울에 비친 모양	3-1. 색종이 자르기	월/ 일
		3-2. 거울에 비친 시계	월/ 일
	4. 도형의 개수	4-1. 크고 작은 도형의 개수	월/ 일
		4-2. 점판 위의 도형의 개수	월/ 일

1-1. 홀수와 짝수 | 01~06

01 다음 수가 몇 번째 홀수 또는 짝수인지 구하시오.

(1) 18　　(2) 63

(3) 99　　(4) 54

유형 1-1
짝수는 반으로 갈라서, 홀수는 짝꿍수를 반으로 갈라서 순서를 구합니다.

02 빨간색과 파란색이 반복되는 끈이 있습니다. 시작과 끝이 빨간색 사각형이고 빨간색 사각형이 25개일 때, 파란색 사각형의 개수를 구하시오.

■ - □개

유형 1-1
전체 사각형의 개수는 25번째 홀수와 같습니다.

접는 선

유형 1-2

각 사람이 읽은 첫 쪽과 마지막 쪽의 오른쪽왼쪽이 다르면 읽은 쪽수는 짝수, 첫 쪽과 마지막 쪽의 오른쪽왼쪽이 같으면 읽은 쪽수는 홀수입니다.

03 4명이 아래만큼 책을 읽었다면, 4명이 읽은 쪽수의 합은 홀수인지 짝수인지 구하시오.

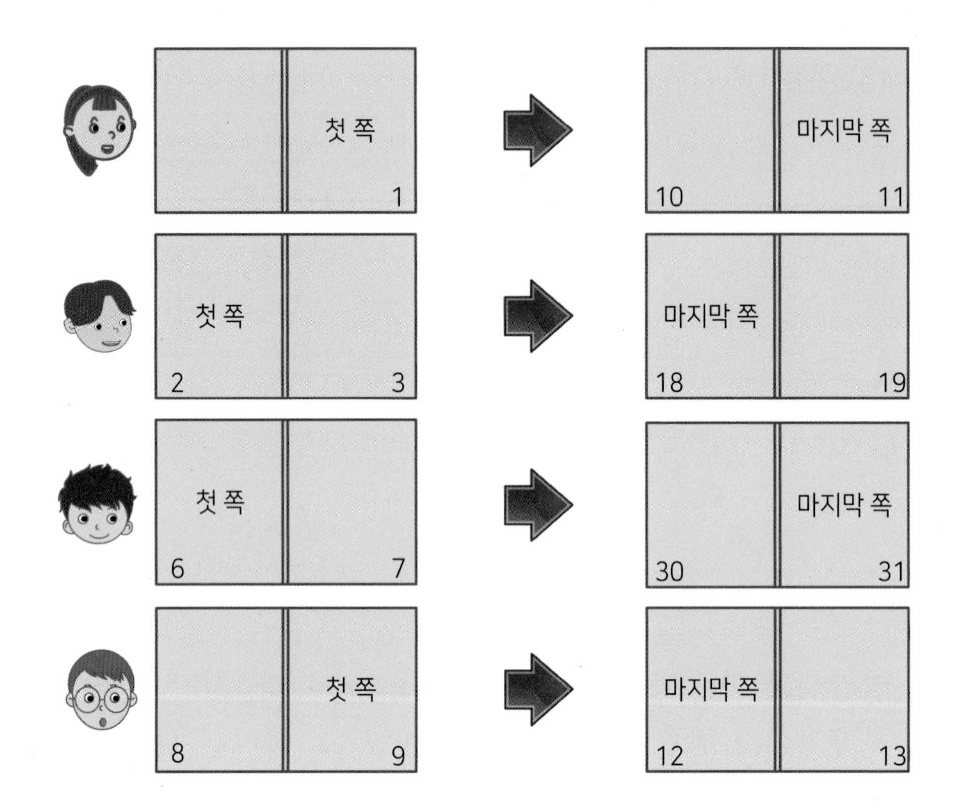

유형 1-3

한 봉지에 들어 있는 과자의 개수가 짝수인 것을 찾습니다.

04 같은 개수의 과자가 들어 있는 과자 봉지가 5개 있습니다. 한 봉지에 들어 있는 과자의 개수가 다음과 같을 때, 과자의 개수의 합이 짝수이면 ○표, 홀수이면 △표 하시오.

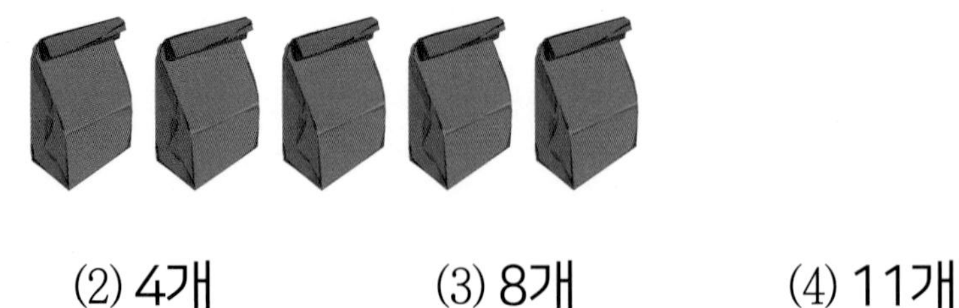

(1) 3개　　(2) 4개　　(3) 8개　　(4) 11개

접는 선

05 ☆은 홀수, ◆는 짝수입니다. 식의 값이 짝수이면 ○표, 홀수이면 △표 하시오.

(1) 3×◆×☆×☆　　(2) ☆×4×☆×☆

(3) ☆×☆×1×☆　　(4) ◆×◆×7×◆

유형 1-3
짝수를 한 번이라도 곱하면 짝수가 됩니다.

06 하늘색과 분홍색이 반복되는 판이 있습니다. 하늘색 칸과 분홍색 칸의 개수가 같으면 ○표, 다르면 △표 하시오.

(1)　　(2)

유형 1-3
칸의 개수가 짝수이면 두 가지 색깔의 칸의 개수가 같고, 홀수이면 다릅니다.

접는 선

유형 2-1
(1) 24와 21은 공통으로 3의 배수입니다.
(2) 35와 14는 공통으로 7의 배수입니다.

07 사각형 안의 수는 가로, 세로로 만나는 ○ 안의 두 수의 곱입니다. ○ 안에 2에서 9까지의 수를 한 번씩 써넣으시오.

(1)

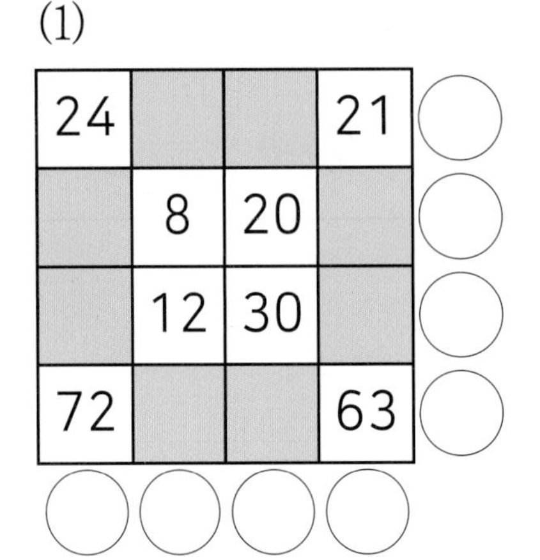

(2)

35	14		
		27	18
40	16		
		36	24

유형 2-1
5의 배수, 7의 배수부터 찾아 빈칸을 채웁니다.

08 색칠된 칸의 수는 같은 가로, 세로줄에 이웃한 두 빈칸의 수의 곱입니다. 빈칸에 2에서 9까지의 수를 써넣으시오.

(1)

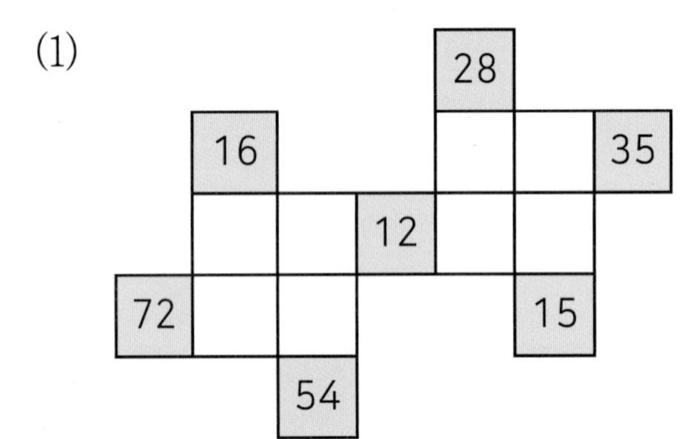

(2)

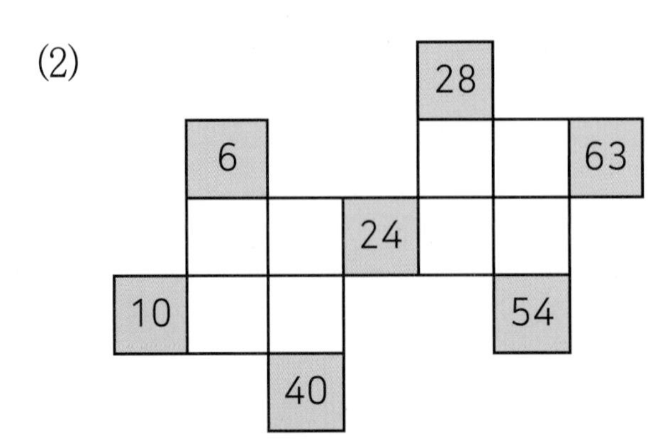

접는 선

09 □ 안에 서로 다른 숫자가 들어가도록 1부터 9까지의 숫자를 넣어 곱셈식을 완성하시오.

(1) □ × 2 = □　　　7 × □ = 6□

(2) 3 × □ = □2　　　□ × 7 = □6

(3) 6 × □ = 5□　　　□ × 3 = 2□

유형 2-1

30보다 작은 3의 배수의 일의 자리 숫자는 서로 다릅니다.

7의 배수 중 십의 자리 숫자가 6인 수, 6의 배수 중 십의 자리 숫자가 5인 수는 각각 하나뿐입니다.

10 다음의 수가 몇 열에 있는지 구하시오.

1열	2열	3열	4열	5열	6열	7열
1	2	3	4	5	6	7
8						

(1) 27: □ 열　　　(2) 35: □ 열

(3) 19: □ 열　　　(4) 41: □ 열

유형 2-2

각 수에서 7을 최대한 빼고 남는 수를 구합니다.

접는 선

유형2-2
27에서 4를 더 이상 뺄 수 없을 때까지 빼고 남는 수에 몇을 더해야 4가 되는지 생각합니다.

11 빵 하나를 굽는데 계란이 4개 필요합니다. 27개의 계란을 남김 없이 사용해 빵을 만들려고 한다면 계란이 적어도 몇 개 더 필요한지 구하시오.

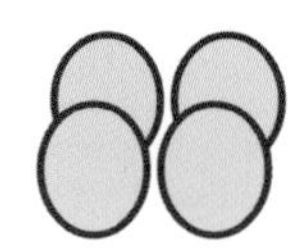

유형2-2
오른쪽 표의 각 열의 첫 줄에 어떤 수가 오는지 찾습니다.

12 1부터 순서대로 수를 써 나간 수 배열표에서 열 2개의 위치를 서로 바꾸었습니다. 바뀐 두 열에 ○표 하시오.

1열	2열	3열	4열	5열
1	2	3	4	5
6	7	8		

㉠	㉡	㉢	㉣	㉤
1				
			8	
11				15
	17			
		24		

접는 선

13 다음 식의 값이 6의 배수가 되도록 빈칸에 알맞은 가장 작은 수를 써넣으시오.

(1) 7+12+9+13+□

(2) 18+23+35+6+□

유형 2-3
식에 있는 각 수에서 6을 최대한 빼고 남는 수를 먼저 구합니다.

14 막대 5개를 모아 **正** 모양을 만들고, **正** 모양과 막대 낱개를 여러 개 모아 수를 표현할 수 있습니다.

수	1	2	3	4	5	6	10	15
모양	一	丅	下	𬼀	正	正一	正正	正正正

이와 같은 방법으로 나타낸 두 수를 더한 식에 적어도 몇을 더해야 5의 배수가 되는지 구하시오.

正正…下 + 正正…𬼀

유형 2-3
두 수에서 5를 더 이상 뺄 수 없을 때까지 빼면 각각 3, 4가 남습니다.

접는 선

유형 2-3

수 ○와 △에서 6을 더 이상 뺄 수 없을 때까지 빼면 각각 1과 3이 남습니다.

15 수 ○와 △가 적힌 칸을 색칠했습니다. 수 ○+○, ○+△, △+△가 적힌 칸에도 색칠했을 때 색칠된 칸이 없는 열을 찾으시오.

1열	2열	3열	4열	5열	6열
1	2	3	4	5	6
7	8	9	10		
⋮					
○		△			

유형 2-3

원래 끈에서 1, 2, 3, 4를 똑같이 빼면 1, 2, 3이 1개씩 있고, 잘라낸 끈에서 똑같이 1, 2, 3, 4를 잘라내면 1, 2가 1개 있습니다.

16 1, 2, 3, 4가 반복되는 끈이 있습니다. 1, 2, 3은 10개, 4는 9개가 적혀 있습니다.

1	2	3	4	…	1	2	3	4	1	2	3

이 끈에서 다음 조각을 잘라서 버릴 때 남은 끈에서 다른 수보다 더 많이 적혀 있는 수는 무엇입니까?

1	2	3	4	…	1	2

접는 선

2-1. 숫자로 수 만들기 | 01~10

01 다음 숫자 카드를 사용하여 만들 수 있는 세 자리 수 중 450보다 큰 수의 개수를 구하시오.

0 4 4 7

유형 1-1
백의 자리 숫자가 7인 수와 백의 자리 숫자가 4이고 십의 자리 수가 7인 수의 개수를 구합니다.

02 다음 숫자 카드를 사용하여 만들 수 있는 수 중 350보다 크고 720보다 작은 수의 개수를 구하시오.

3 4 7 9

유형 1-1
백의 자리, 십의 자리 숫자를 정해놓고, 각 숫자로 만들 수 있는 수가 몇 개인지 구합니다.

접는 선

유형 1-2

백의 자리 숫자가 7인 수부터 순서대로 씁니다.

03 다음 숫자 카드를 사용하여 만들 수 있는 세 자리 수 중 8번째로 큰 수를 구하시오.

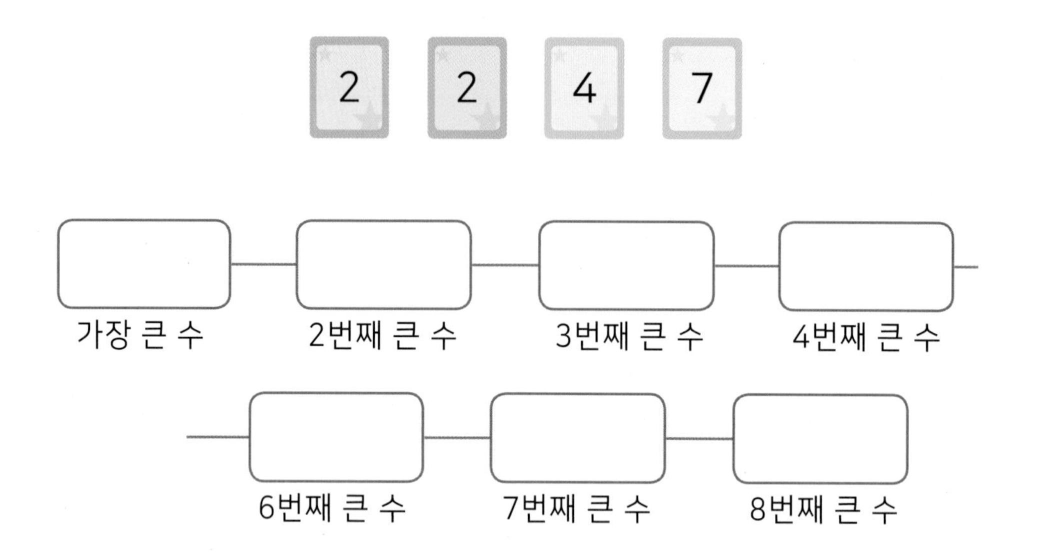

유형 1-2

백의 자리 숫자가 3인 수부터 순서대로 세어봅니다.

04 다음 숫자 카드로 만들 수 있는 세 자리 수 중 5번째로 작은 세 자리 수를 구하시오.

0 3 6 9

접는 선

05 다음 숫자 카드로 만들 수 있는 세 자리 수 중 4번째로 작은 수를 구하시오.

2 5 5 9

! 유형 1-2
백의 자리 숫자가 2인 수부터 세어봅니다.

06 다음 숫자 카드로 세 자리 수를 만들려고 합니다. 451은 몇 번째로 작은 수인지 구하시오.

1 4 5 7

! 유형 1-3
백의 자리 숫자가 1인 수와 백의 자리 숫자가 4인 수 중 십의 자리 숫자가 1인 수의 개수를 구합니다.

접는 선

유형 1-3

백의 자리 숫자가 6인 수 중 십의 자리 숫자가 2나 5인 수의 개수를 구합니다.

07 다음 숫자 카드로 세 자리 수를 만들려고 합니다. 602는 몇 번째로 큰 수인지 구하시오.

0 2 5 6

유형 1-3

2를 십의 자리에, 2를 제외한 숫자를 백의 자리, 일의 자리에 넣어 세 자리 수를 만듭니다.

08 다음 숫자 카드로 십의 자리 숫자가 2인 세 자리 수를 만들려고 합니다. 421은 몇 번째로 큰 수인지 구하시오.

1 2 4 7

접는 선

09 서로 다른 네 장의 숫자 카드로 만든 가장 큰 세 자리 수와 가장 작은 세 자리 수의 합이 888입니다. 숫자가 보이지 않게 뒤집어 놓은 카드의 숫자를 구하시오.

1		3	7

유형 1-4
뒤집어 놓은 카드의 숫자가 1과 3 사이에 있는 경우, 3과 7 사이에 있는 경우로 나누어 생각합니다.

10 서로 다른 네 장의 숫자 카드로 세 자리 수를 만들 때 숫자가 보이는 카드만 사용해서 두 번째로 작은 수를 만들 수 있습니다. 숫자가 보이지 않도록 뒤집어 놓은 카드의 숫자로 가능한 것을 모두 쓰시오.

2		5	9

유형 1-4
두 번째로 작은 세 자리 수는 셋째로 작은 숫자를 사용하지 않습니다.

접는 선

유형 2-1
백의 자리 숫자를 반 바퀴 돌리면 일의 자리 숫자로 보여야 합니다.

11 서로 다른 디지털 숫자로 만들 수 있는 세 자리 수 중에서 반 바퀴 돌려도 똑같이 보이는 것이 있습니다. 이 중 가장 작은 수를 구하시오.

1 2 3 4 5 6 7 8 9 0

유형 2-1
파란색 카드에 적힌 숫자는 2, 8, 9 중에 한 숫자를 반 바퀴 돌린 것입니다.

12 서로 다른 디지털 숫자가 적힌 카드가 있습니다.

보라색, 주황, 연두색 카드로 892를 만들 수 있는데, 892를 반 바퀴 돌린 수도 이 4장의 카드로 만들 수 있습니다. 파란색 카드에 적힌 숫자를 구하시오.

접는 선

13 디지털 숫자가 적힌 카드 4장이 다음 조건을 만족합니다.

조건

① 카드의 숫자는 반 바퀴 돌려도 숫자로 보입니다.

② 카드의 숫자 4개를 모두 더하면 8입니다.

이 카드로 만들 수 있는 가장 작은 세 자리 수를 구하시오.

유형 2-1
백의 자리 숫자로 1이 와야 합니다.

14 조건에 알맞은 수의 개수를 구하시오.

(1) 백의 자리 숫자가 7이고, 똑바로 읽으나 거꾸로 읽으나 똑같은 세 자리 수

(2) 십의 자리 숫자가 4고, 똑바로 읽으나 거꾸로 읽으나 똑같은 네 자리 수

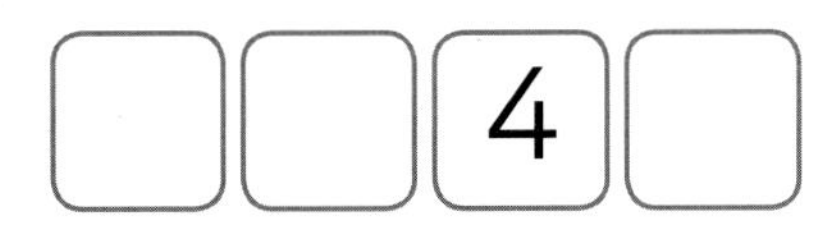

유형 2-2
(1)에서 일의 자리 숫자는 7, (2)에서 백의 자리 숫자는 4로 정해집니다.

접는 선

유형 2-2

백의 자리 숫자가 더 큰 경우와 작은 경우로 나누어 계산합니다. 일의 자리 숫자는 0이 될 수 없습니다.

15 똑바로 읽으나 거꾸로 읽으나 똑같으면서 백의 자리 숫자와 일의 자리 숫자의 차가 5인 네 자리 수의 개수를 구하시오.

유형 2-2

백의 자리, 일의 자리 숫자는 서로 같아야 합니다.

16 숫자 카드로 세 자리 수를 만들면 세 번째로 큰 수는 똑바로 읽으나 거꾸로 읽으나 똑같은 수입니다. 숫자 카드로 만들 수 있는 가장 큰 세 자리 수를 구하시오.

1 4 8

접는 선

3. 거울에 비친 모양

3-1. 색종이 자르기 | 01~08

01 색종이를 반으로 두 번 접어서 색칠된 부분을 가위로 자른 후 펼친 모양을 그리시오.

종이를 자른 후 한 번 펼친 모양을 먼저 생각합니다.

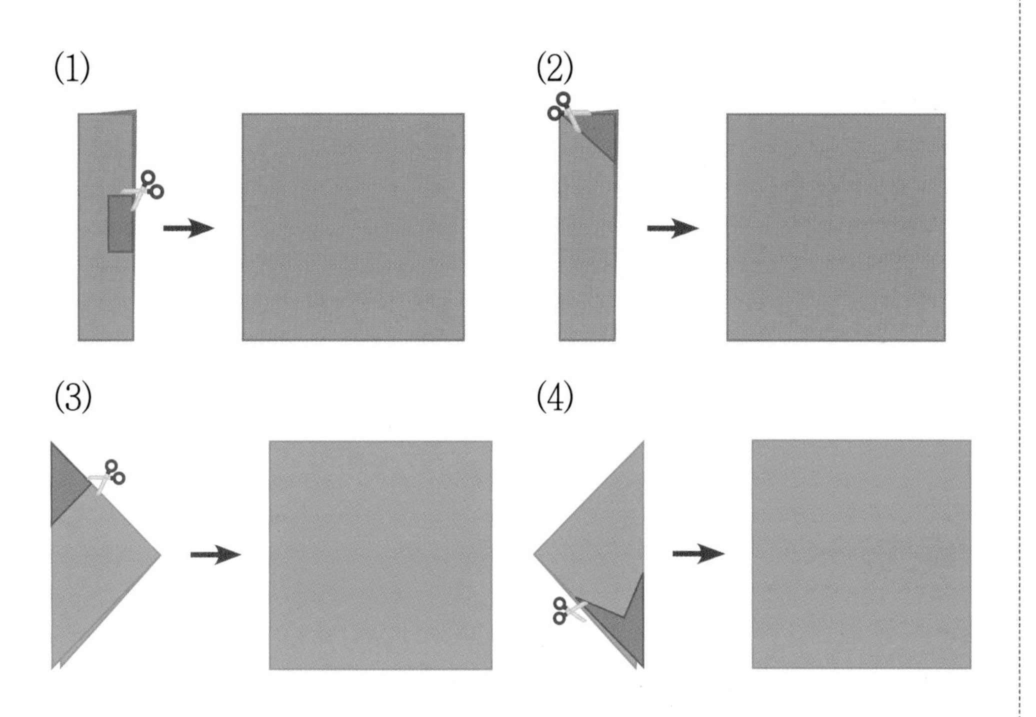

02 색종이를 다음과 같이 반으로 두 번 접은 후 자르고 펼쳤을 때, 나올 수 없는 모양에 △표 하시오.

왼쪽 그림과 같이 접어서 잘린 부분끼리 완전히 겹치는지 확인합니다.

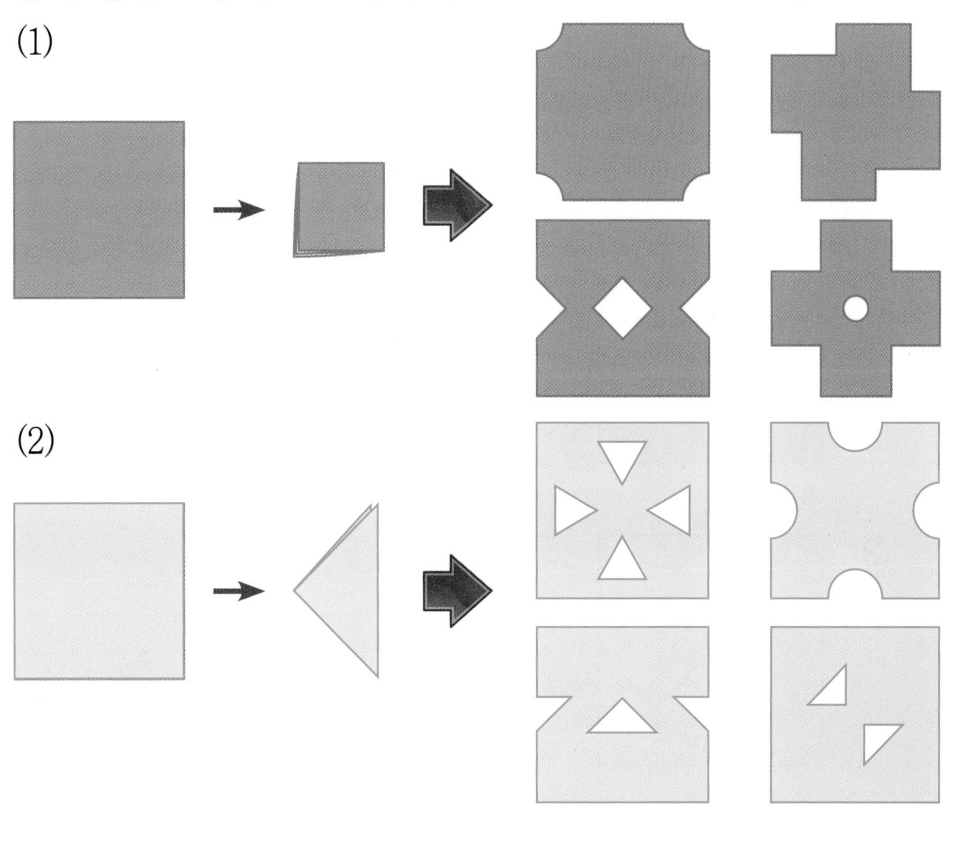

접는 선

유형 1-1
접은 선을 따라 완전히 겹치는지 살펴봅니다.

03 주어진 모양의 색종이를 선을 따라 반으로 두 번 접고 자를 때 나올 수 있는 모양으로 알맞은 것에 ○표 하시오.

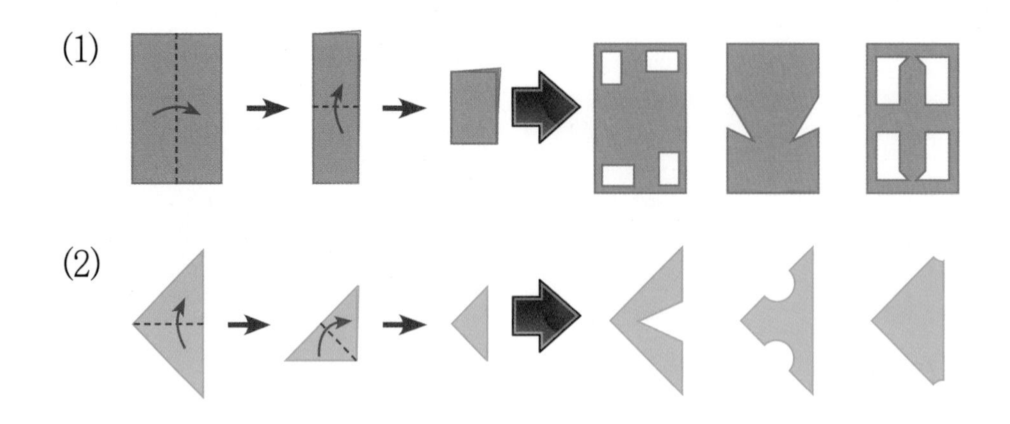

유형 1-2
한 번 접은 종이의 모양을 먼저 그립니다.

04 색칠된 투명 종이를 반으로 두 번 접은 모양을 그렸는데 하나는 잘못 그렸습니다. 다음 중 잘못 그린 것에 △표 하시오.

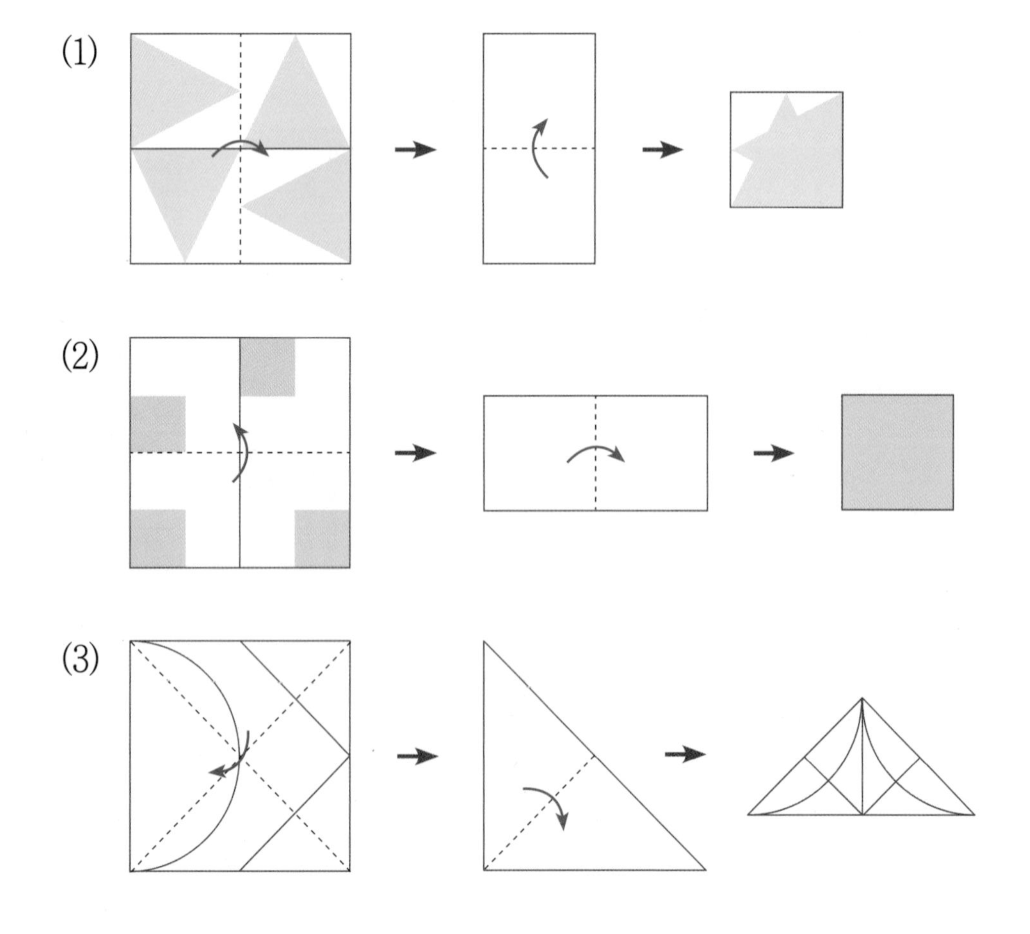

접는 선

05 투명 종이를 점선을 따라 두 번 접었을 때 오른쪽 그림과 같이 보이도록 ㉠에 곧은 선을 2개만 그리시오..

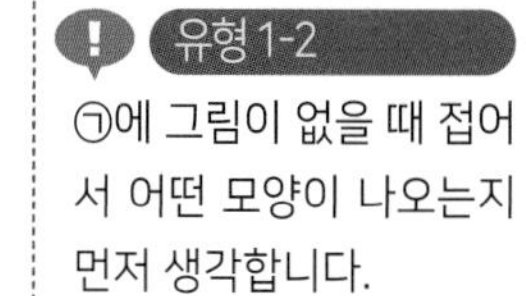

㉠에 그림이 없을 때 접어서 어떤 모양이 나오는지 먼저 생각합니다.

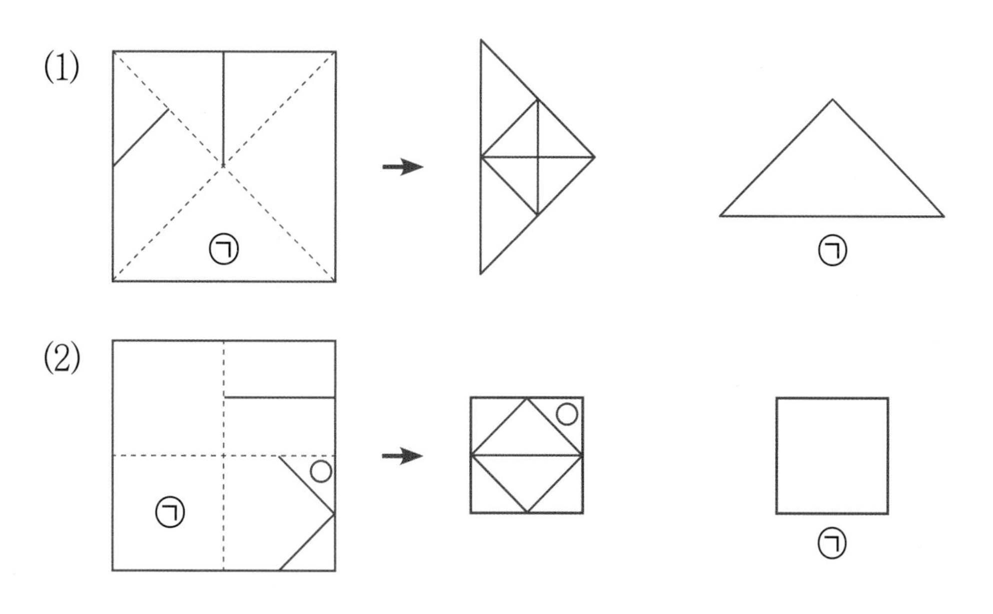

06 투명 종이를 반으로 두 번 접으니 오른쪽과 같습니다.

유형 1-2

투명 종이를 예시와 같이 접으면 왼쪽 위에 모입니다.

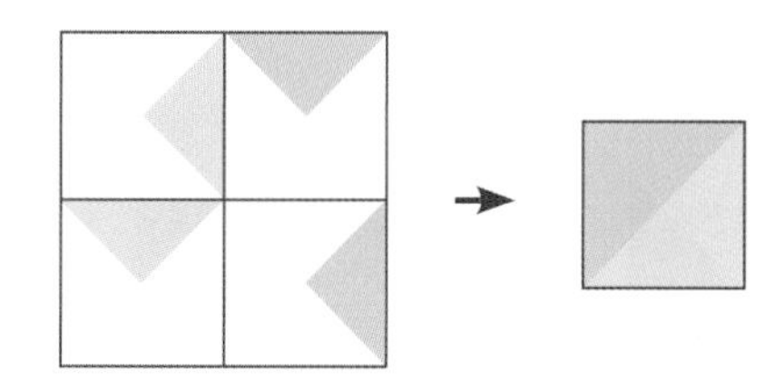

이와 같은 방법으로 아래 투명종이를 두 번 접은 모양을 그리시오.

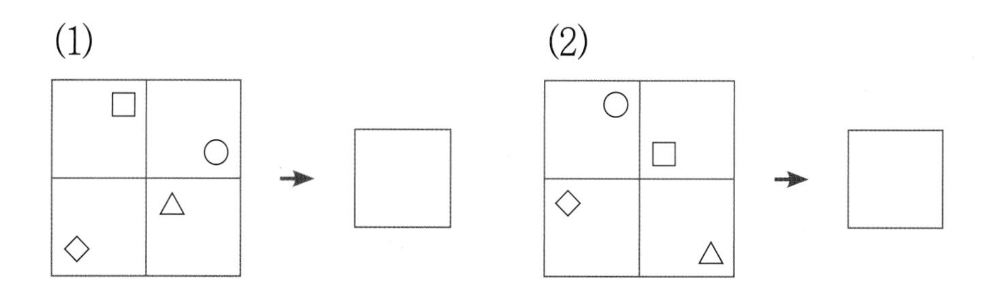

접는 선

유형 1-3

두 번째 모양은 접는 선이 주어진 선을 지나고, 첫 번째, 세 번째 모양은 접는 선이 주어진 선을 지나지 않습니다.

07 빈칸을 한 칸만 색칠하여 접었을 때 색칠된 칸이 완전히 겹쳐지는 그림을 만들고, 접는 선을 그리시오. 단, 반으로 포개어지게 접지 않아도 됩니다.

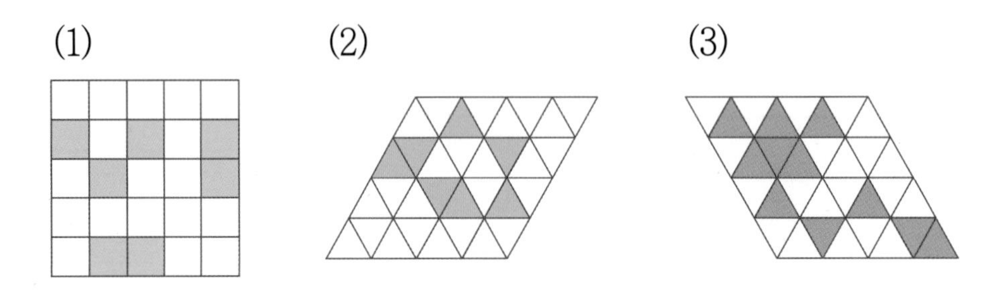

유형 1-3

두 번째와 세 번째 색종이는 구멍 중 일부가 반으로 접힙니다.

08 구멍 뚫린 색종이에 구멍 하나를 더 뚫고 접으면 구멍이 완전히 겹쳐집니다.

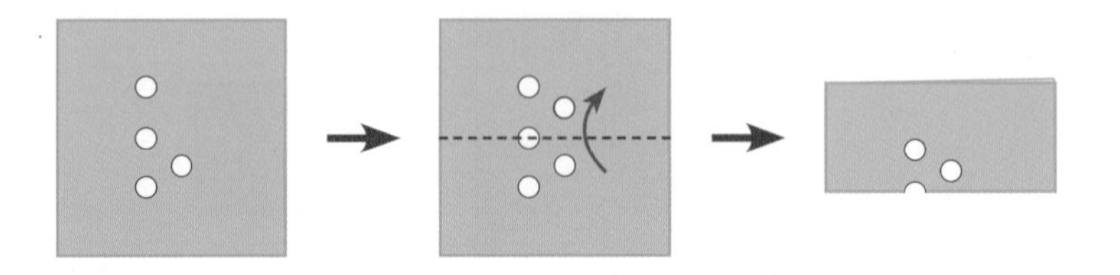

접었을때 구멍이 완전히 겹쳐지도록 구멍 1개와 접는 선을 그리시오. 단, 모든 구멍은 다른 구멍과 겹치거나 반으로 접히고 종이를 반으로 접을 필요는 없습니다.

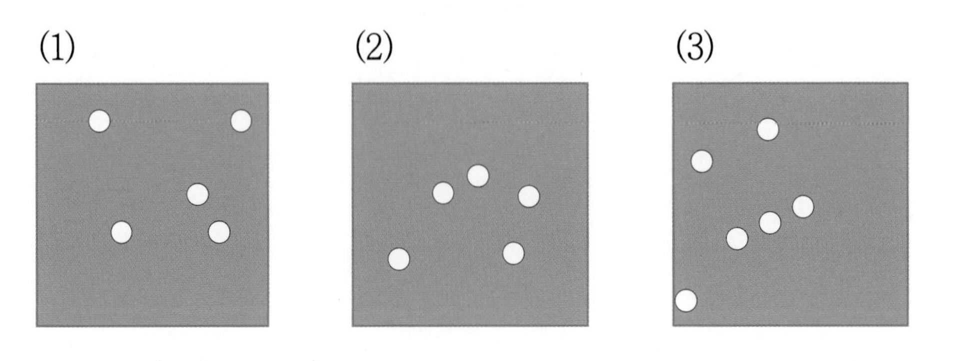

접는 선

09 옆이나 위에 놓인 거울 속의 시계를 보니 다음과 같습니다. 거울을 놓은 위치가 다른 시계를 하나 고르시오.

유형 2-1
고장난 시계로 보이는 것을 찾습니다.

10 실제 시각의 차가 일정하게 시계를 나열했는데 세 번째만 거울 속 시계입니다. 두 번째 시계가 가리키는 시각을 구하시오.

유형 2-1
세 번째 시계가 가리키는 실제 시각은 5시입니다.

접는 선

유형 2-1
두 번째 시계를 봤을 때의 시각은 7시 30분입니다.

11 첫 번째에 본 시계의 시각과 두 번째에 거울로 본 시계의 시각이 서로 같습니다. 시계를 다시 본 것이 몇 시간 후인지 구하시오.

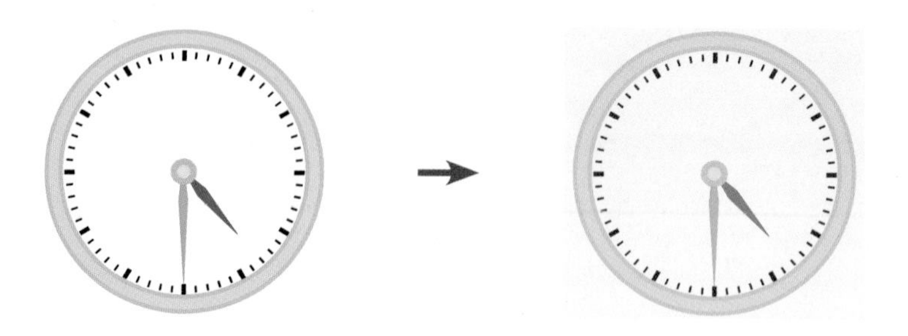

유형 2-1
6시를 두 번 더하면 12시, 12시를 두 번 더하면 24시입니다.

12 실제 시각과 거울에 비친 바늘 시계가 가리키는 시각이 같은 시각을 모두 구하시오.

접는 선

13 서로 다른 디지털 숫자를 사용하여 한 자리 수 세 개를 더해 한 자리 수가 나오는 덧셈식을 만들었습니다. 옆에 놓은 거울로 봐도 덧셈식이 같을 때 이 덧셈식을 구하시오. 단, 수를 더하는 순서만 바뀐 것은 같은 식으로 생각합니다.

8+8+8=8

> ❗ 유형 2-2
> 옆의 거울로 봐도 숫자로 보이는 디지털 숫자는 0, 1, 2, 5, 8이 있습니다.

14 디지털 시계 옆에 거울을 놓고 보니 다음과 같습니다. 3시간 40분 후에 거울 속의 시계가 나타내는 시각을 구하시오.

> ❗ 유형 2-2
> 시계는 현재 2시 10분을 가리키고 있습니다.

접는 선

유형2-2

옆에 놓은 거울로 봐도 똑같이 보이는 숫자는 0, 1, 8이고, 2는 5로, 5는 2로 보입니다.

15 디지털 숫자로 만들 수 있는 세 자리 수 중에서 옆에 놓은 거울로 봐도 똑같이 보이는 것이 있습니다. 이 중에서 4번째로 큰 수를 구하시오.

유형2-2

일을 가리키는 부분에 있는 수의 일의 자리 숫자로 가능한 것은 0, 1뿐입니다.

16 다음과 같이 날짜를 나타내는 디지털 달력이 있습니다. 5월에 달력 옆에 거울을 놓고 관찰했을 때 거울 속 달력이 실제 날짜와 같게 보이는 날을 구하시오.

2월 8일

10월 17일

접는 선

4-1. 크고 작은 도형의 개수 | 01~08

01 색종이를 두 번 접어서 빨간색 선을 따라 잘랐습니다.

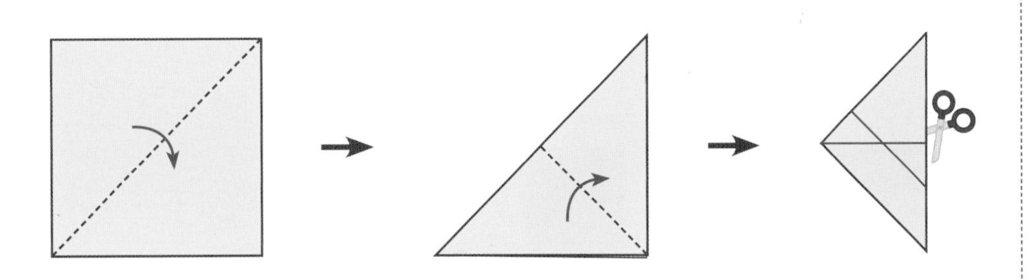

아래와 같은 모양의 조각은 각각 몇 개인지 구하시오.

유형 1-1
색종이를 한 번 펼쳤을 때 자른 선이 어떻게 보이는지 그려봅니다.

02 다음 모양의 색종이를 두 번 접어서 자르고 종이를 펼치니 아래와 같이 자르는 선이 나옵니다.

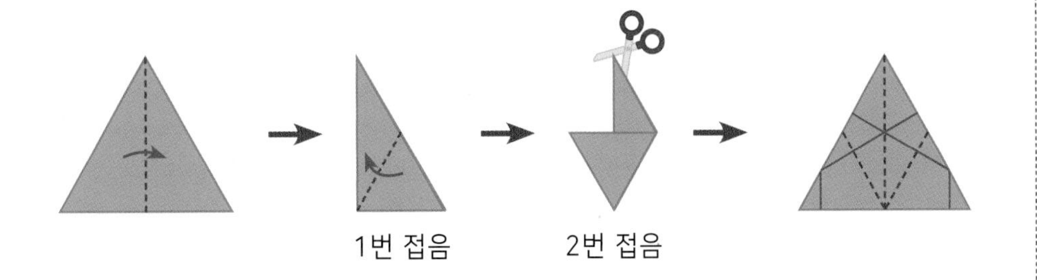

두 번 접은 종이에 자르는 선을 그리시오.

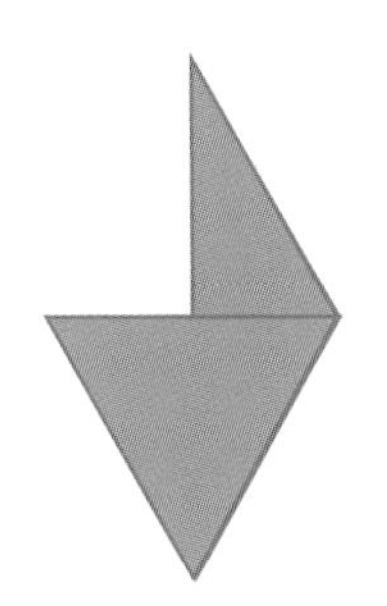

유형 1-1
색종이를 한 번 접은 종이에 자른 선이 어떻게 보이는지 그려봅니다.

접는 선

유형 1-1
색종이를 자른 선을 먼저 그립니다.

03 색종이를 두 번 접어서 빨간색 선을 따라 자르면 몇 조각이 나오는지 구하시오.

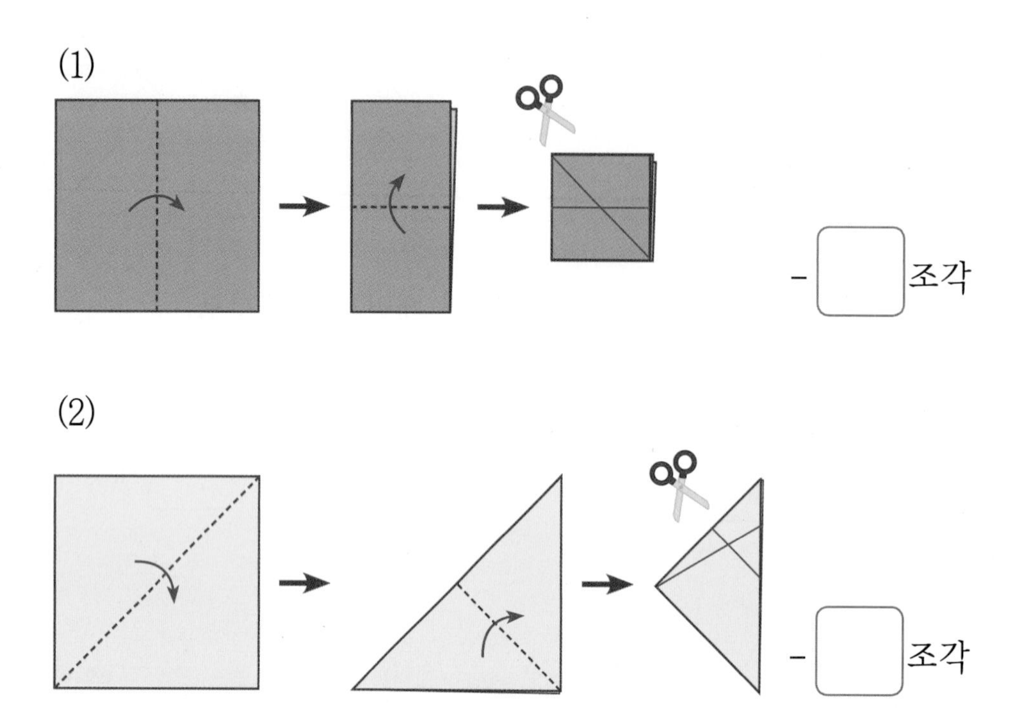

(1) — □조각

(2) — □조각

유형 1-2
선을 따라 도형을 나눈 조각 1개, 2개 또는 3개를 모아 삼각형을 만들 수 있습니다.

04 선을 따라 그릴 수 있는 삼각형의 개수를 구하시오.

접는 선

05 색칠한 부분을 포함하는 삼각형의 개수를 구하시오.

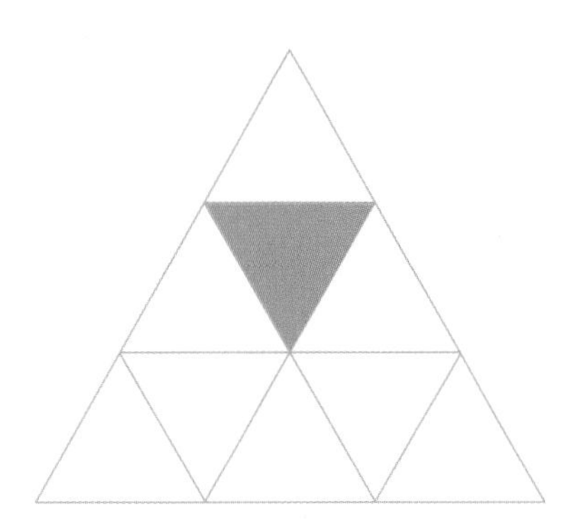

유형 1-2

크기별로 3가지 삼각형을 그릴 수 있습니다.

06 빨간색 선분 중 하나 또는 둘 모두를 변으로 하는 사각형의 개수를 구하시오.

유형 1-3

그릴 수 있는 가장 큰 사각형은 작은 사각형 5개를 이어 붙인 것입니다.

접는 선

유형 1-3
크기별로 나누어 개수를 구합니다.

07 선을 따라 그릴 수 있는 사각형의 개수를 구하시오.

(1)

☐개

(2)

☐개

유형 1-3
어떤 변도 빨간색 선분과 겹치지 않는 사각형을 생각합니다.

08 빨간색 선분과 겹치는 변이 없는 사각형의 개수를 구하시오.

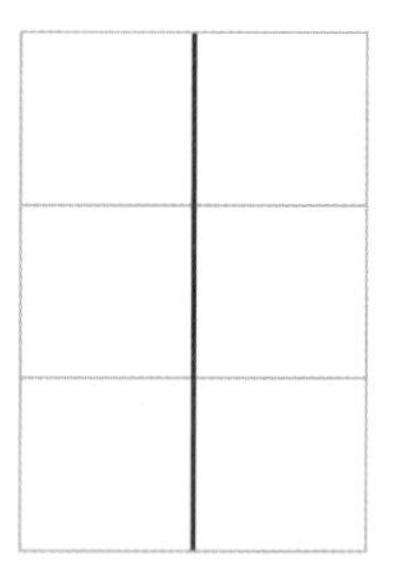

단, 아래와 같이 변과 빨간색 선분이 만나는 것까지 셉니다.

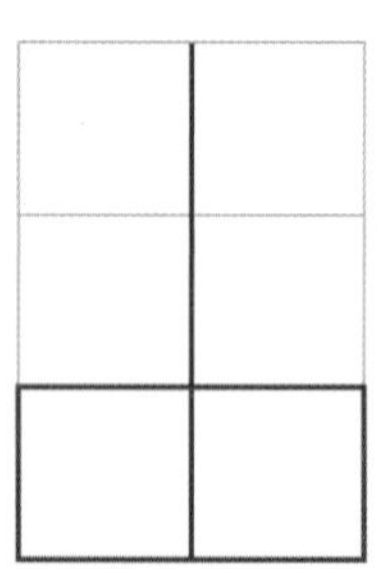

접는 선

09 사각형의 둘레를 따라 점 8개가 일정한 간격으로 있습니다. 아래의 빨간색 선과 같은 길이의 선분의 개수를 구하시오. 단, 빨간색 선은 제외합니다.

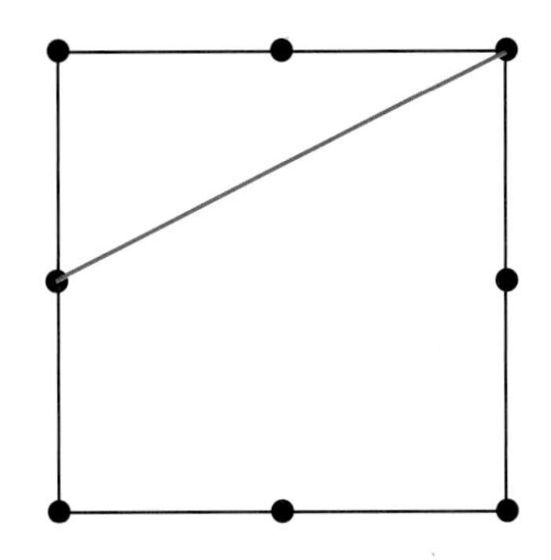

유형 2-1
사각형의 둘레를 따라 3칸 떨어진 위치의 점과 연결해야 합니다.

10 점판의 점을 이어 빨간색 선분과 길이가 같고 빨간색 점에서 시작하는 선분을 그리시오.

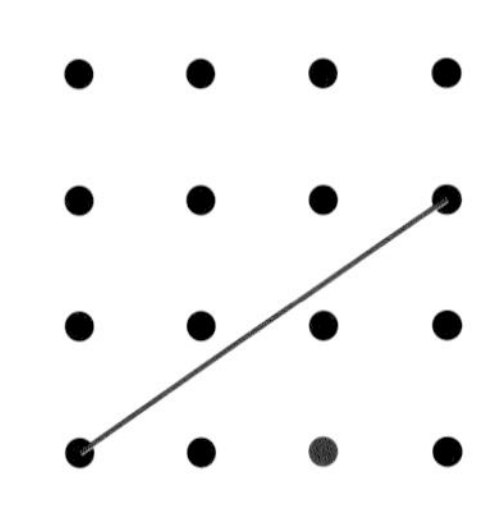

유형 2-1
선분의 끝점이 되는 점을 먼저 구합니다.

접는 선

유형 2-2

정사각형의 선분의 길이로 가능한 것이 몇 가지 있는지 먼저 구합니다.

11 점판의 점을 이어 그릴 수 있는 크기가 서로 다른 정사각형의 개수를 구하시오.

유형 2-2

다음 선분은 문제의 선분과 길이가 같지만 이 선분을 한 변으로 하는 정사각형은 그릴 수 없습니다.

12 점판의 점을 이어 정사각형을 그리려고 합니다. 변의 길이가 빨간색 선분과 같고 빨간색 점이 꼭짓점 중 하나인 정사각형을 모두 그리시오.

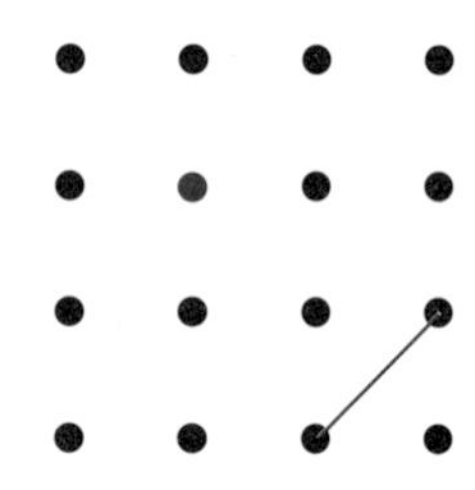

접는 선

13 점판의 점을 이어 빨간색 점을 꼭짓점 중 하나로 하는 정사각형을 그리려고 합니다. 한 개만 그릴 수 있는 크기의 정사각형을 그리시오.

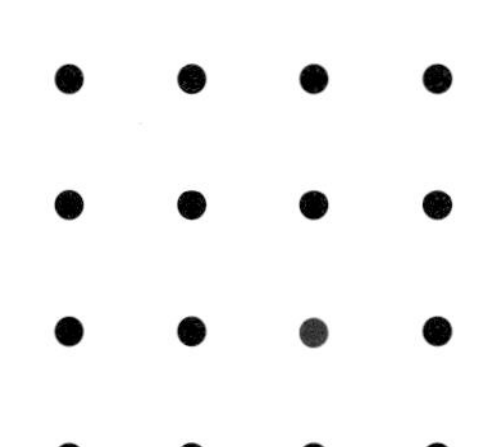

유형 2-2
다음 빨간색 선을 한 변으로 하는 정사각형입니다.

14 원 위에 일정한 간격으로 9개의 점이 있습니다. 점을 이어 그릴 수 있는 정삼각형을 모두 그리시오.

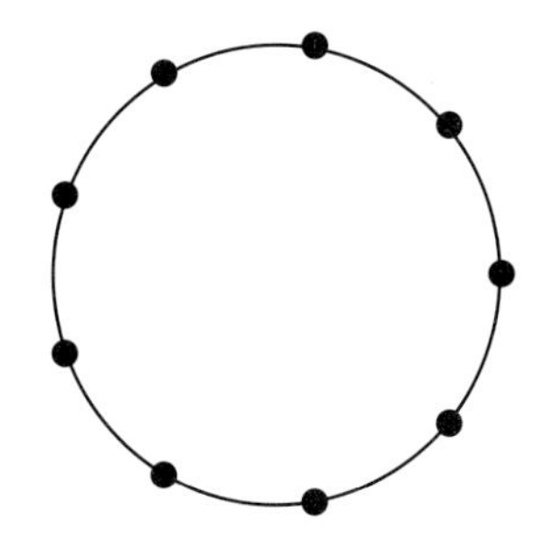

유형 2-3
정삼각형의 한 변이 빨간색 선의 길이와 같아야 합니다.

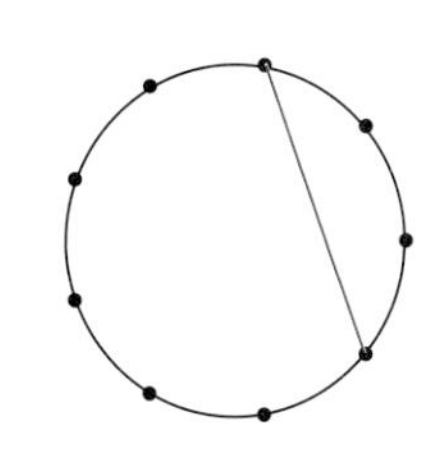

접는 선

유형 2-3
빨간색 점을 지나면서 빨간색 선분과 길이가 같은 선분을 모두 구합니다.

15 점판의 점을 이어 정삼각형을 그리려고 합니다. 한 변의 길이가 빨간색 선분과 같고 빨간색 점을 꼭짓점으로 하는 정삼각형을 그리시오.

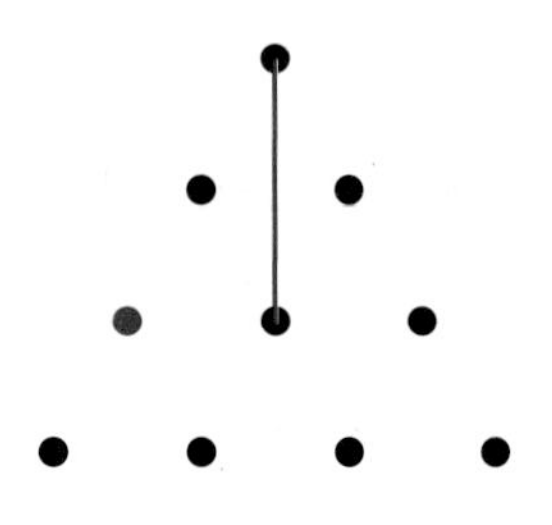

유형 2-3
빨간색 점을 한 끝으로 하는 길이가 서로 다른 선분을 먼저 구합니다.

16 점판의 점을 이어서 정삼각형을 그리려고 합니다. 꼭짓점 중 하나가 빨간색 점인 정삼각형 중 크기가 서로 다른 것은 몇 개인지 구하시오.

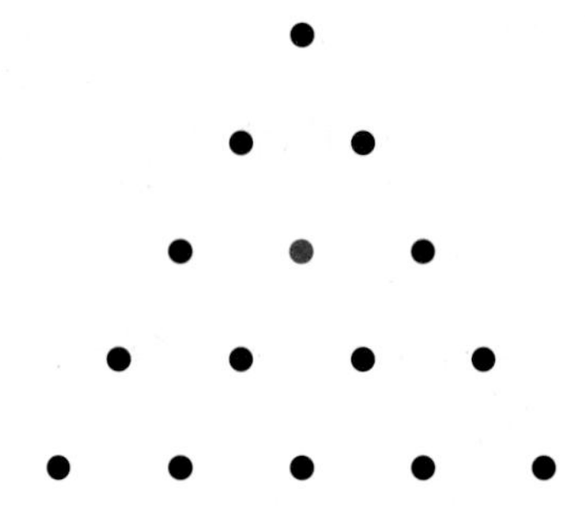

접는 선

예비 활동 가이드

숫자 카드와 수 - 2 - 1. 조건에 맞는 디지털 수

본문의 디지털 숫자를 관찰하기 전에 활동 자료 1의 숫자 카드로 두 자리 수를 만드는 활동을 합니다. 숫자 카드를 뒤집거나 돌려도 왼쪽의 점의 개수로 원래 숫자를 알 수 있습니다. 본문에서는 디지털 숫자를 다음과 같은 방법으로 나타냅니다.

디지털 숫자로 두 자리 수를 만들어 반 바퀴 돌리면 같은 수가 되는 것도, 다른 수가 되는 것도 있습니다.

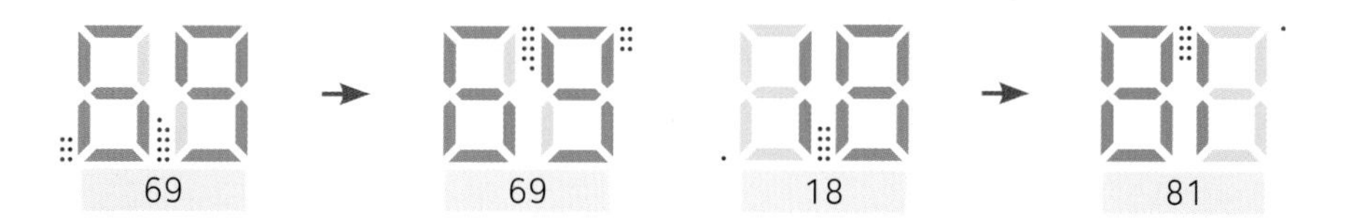

돌려서 수 만들기

준비물 - 활동 자료 1

<활동 목표>

숫자 카드로 두 자리 수를 만들고 반 바퀴 돌렸을 때 똑같은 수로 보이는 것, 다른 수로 보이는 것, 수로 보이지 않는 것을 찾습니다.

<활동 방법>

1. 숫자 카드로 다음 두 자리 수를 만들고 반 바퀴 돌린 모양을 그립니다.
2. 돌려서 같은 수로 보이는 것은 ○표, 다른 수로 보이는 것은 △표, 수로 보이지 않는 것은 X표 합니다.
   (정답 및 해설 32페이지)

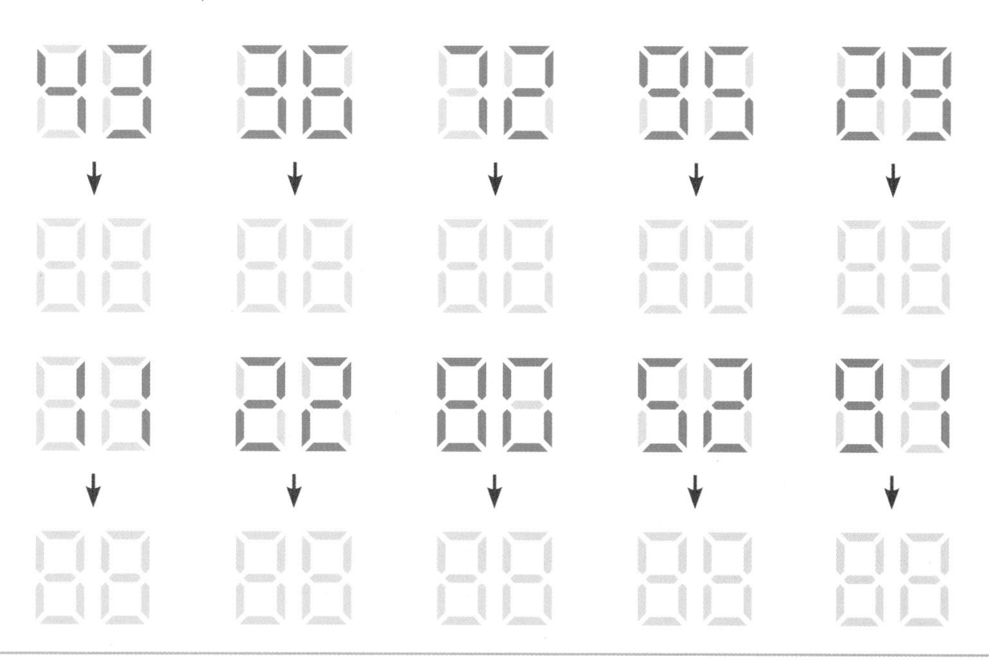

더 큰 수 만들기 게임

준비물 - 활동 자료 1

<활동 목표>

숫자를 돌리거나 숫자를 바꾸어 더 큰 수를 만듭니다. 더 큰 수를 만드는 것 외에도 상대방이 어떤 선택을 할지도 생각합니다.

<게임 방법>

① 숫자 카드 0과 1로 10을 만듭니다.

② 다음 중 하나를 하여 더 큰 수를 만듭니다.

㉠ 수를 반 바퀴 돌립니다.

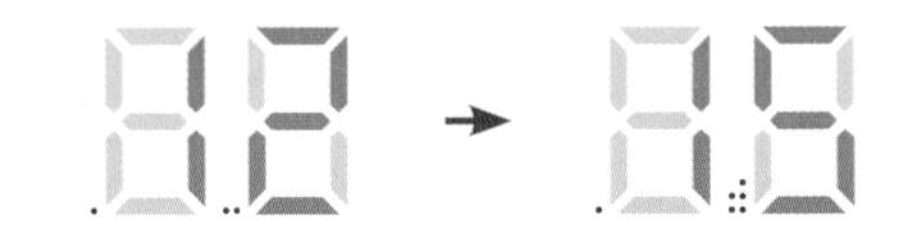

㉡ 두 숫자 중 하나를 다른 숫자로 바꿉니다.

단, 작은 수, 똑같은 수, 수로 보이지 않는 것은 만들 수 없고 두 숫자 모두 다른 숫자로 바꿀 수 없습니다.

③ 더 이상 수를 만들 수 없는 사람이 지게 됩니다.

거울에 비친 모양 - 1 - 1. 2번 접어 자르기

거울이 2개일 때 두 거울을 놓는 위치에 따라 모양이 어떻게 달라지는지 관찰해 봅니다. 거울의 반대편으로 모양과 거울의 거리와 같은 거리만큼 떨어져 거울에 비친 모양이 나타나는 성질과 거울에 비친 모양이 다른 거울에 다시 비친다는 성질 때문에 재미있는 모양을 관찰할 수 있습니다. 원리를 완벽하게 이해하는 것은 아직 어렵기 때문에 관찰을 위주로 활동을 진행합니다.

책에 붙어 있는 거울 활동지를 이용해서 아래의 그림을 관찰해 보고, 색종이를 접은 모양을 관찰하는 본문의 학습에도 활용할 수 있습니다.

거울 2개로 관찰하기

준비물 - 거울 활동지

<활동 목표>

거울에 비친 모양을 관찰하여 알맞게 그려넣고, 그린 모양에 어떤 특징이 있는지 생각해 봅니다.

<활동 방법>

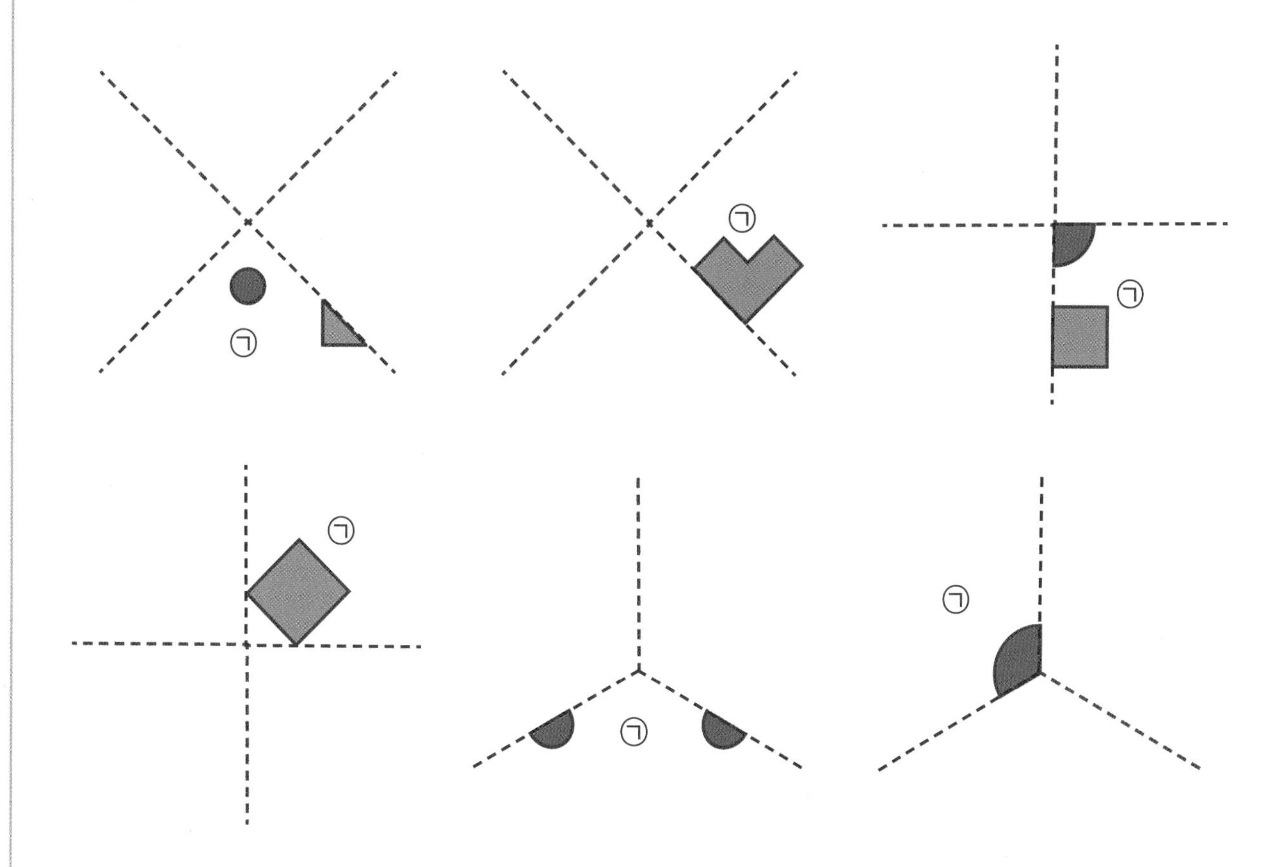

① 거울 활동지를 반으로 접어서 ㉠번 부분의 양 옆 빨간색 점선에 올려 놓고 거울 속 모양을 관찰합니다.

② 관찰한 거울 속 모양을 나머지 부분에 그려 넣습니다.

③ 그 외에도 직접 그림을 그려서 2개의 거울에 비친 모양을 관찰해 봅니다.

(정답 및 해설 32페이지)

거울에 비친 모양 - 2 - 2. 거울 속의 디지털 숫자

디지털 숫자를 좌우로 뒤집으면 옆에 놓인 거울로 본 모양, 위아래로 뒤집으면 위에 놓인 거울로 본 모양이 나타납니다. 좌우로 뒤집으면 숫자 왼쪽에 있던 점이 오른쪽으로, 위아래로 뒤집으면 아래쪽에 있던 점이 위쪽으로 움직입니다.

디지털 숫자로 시계를 만들어 옆에 놓인 거울로 볼 때 시를 나타내는 수가 분을 나타내는 자리로, 분을 나타내는 수가 시를 나타내는 자리로 옮겨지면서 다른 시각으로 보일 수 있습니다. 단, 시를 나타내는 자리에는 01부터 12까지, 분을 나타내는 자리에는 00부터 59까지만 올 수 있습니다.

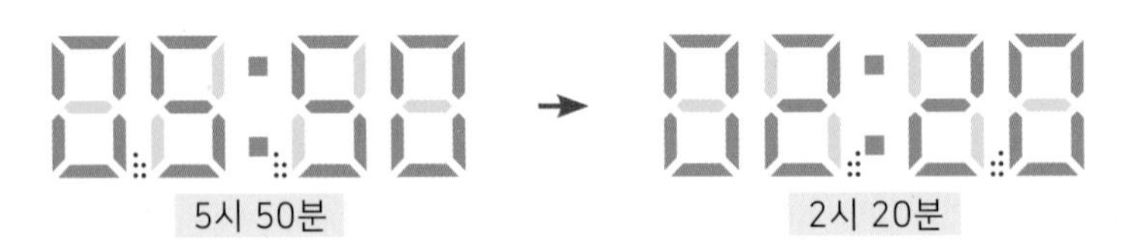

숫자 카드와 ' : '카드로 시계를 만들고 좌우로 뒤집으면 옆에 놓인 거울로 본 시각이 보입니다.

뒤집어서 수 만들기

준비물 - 활동 자료 1, 거울

<활동 목표>

숫자 카드로 두 자리 수를 만들고 뒤집었을 때 똑같은 수로 보이는 것, 다른 수로 보이는 것, 수로 보이지 않는 것을 찾고 이를 거울로 확인합니다.

<활동 방법>

숫자 카드로 다음 두 자리 수를 만들고 위아래로 뒤집거나 옆으로 뒤집은 모양이 서로 같아지는 것끼리 연결하시오. (정답 및 해설 32페이지)

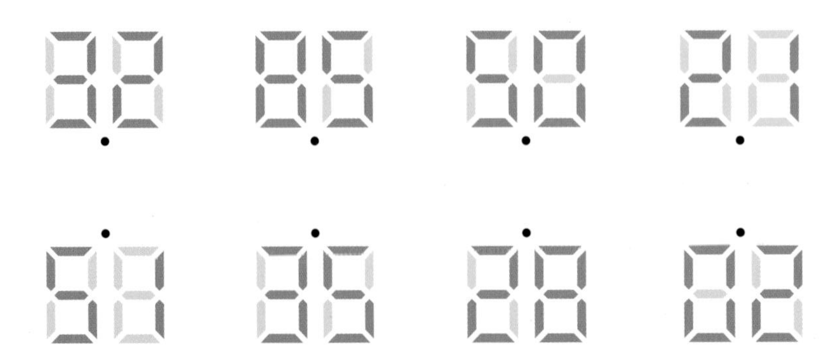

거울을 수의 위쪽이나 오른쪽에 두고 어떤 수로 보이는지 관찰합니다.

시각 만들기

준비물 - 활동 자료 1, 거울

<활동 목표>

시를 나타내는 수 중 옆에 놓인 거울로 봤을 때 분으로 보일 수 있는 것과 분을 나타내는 수 중 옆에 놓인 거울로 봤을 때 시로 보일 수 있는 것을 찾습니다. 실제 디지털 시계처럼 십의 자리에 0이 들어가면 한 자리 수로 읽습니다.

<활동 방법>

① 다음의 수 중에 시를 나타내었을 때 옆에 거울을 놓고 봤을 때 분을 나타낼 수 있는 것에 ○표, 분을 나타내었을 때 옆에 거울을 놓고 봤을 때 시를 나타낼 수 있는 것에 △표 하시오. (정답 및 해설 32페이지)

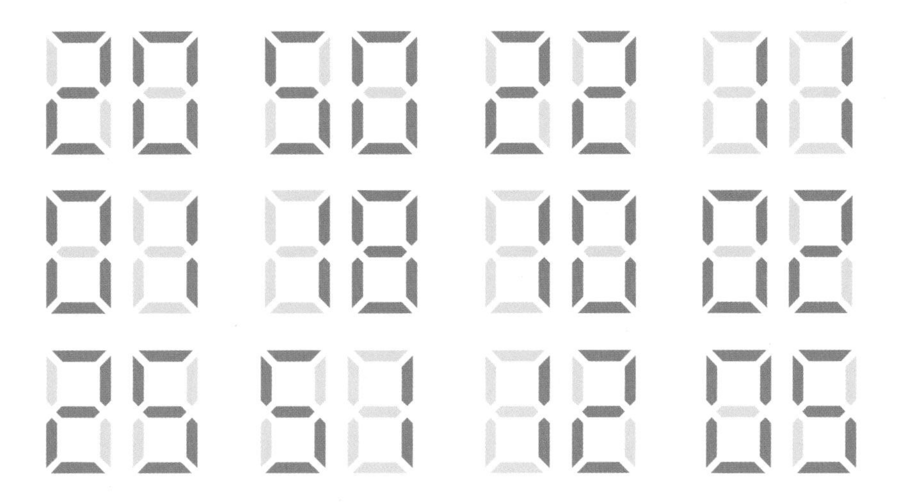

② 수의 옆에 거울을 놓고 실제로 관찰해 보시오.

정답

1. 배수와 나머지

9쪽

구슬 묶기

구슬을 한 봉지에 3개씩 담으면 몇 봉지가 나오는지 구하시오.

4봉지

구슬을 한 봉지에 5개씩 담으면 몇 봉지가 나오고 남는 구슬이 몇 개인지 구하시오.

2봉지, 2개

10쪽

40개의 구슬을 한 봉지에 아래만큼 넣을 때 몇 봉지가 나오는지 ○ 안에 써넣고, 남는 구슬은 몇 개인지 □ 안에 써넣으시오.

(1) 4개 - (10)봉지, [0]개 (2) 5개 - (8)봉지, [0]개

(3) 6개 - (6)봉지, [4]개 (4) 7개 - (5)봉지, [5]개

[풀이]

40에서 각 수를 더 뺄 수 없을 때까지 몇 번 빼고 몇이 남는지 구합니다.

11쪽

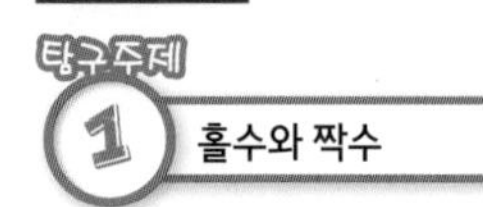

다음 수의 짝꿍수를 구하시오.

7 - 8 12 - 11 19 - 20

8은 몇 번째 묶음의 수입니까?

4번째

10번째 묶음 안의 짝수를 구하시오.

20

수를 1부터 순서대로 2개씩 묶었을 때 다음 수의 짝꿍수를 구하시오.

(1) 25 26 (2) 32 31 (3) 49 50 (4) 58 57

12쪽

탐구 유형 1-1 37은 몇 번째 홀수?

[정답] (1) 38 (2) 19번째 짝수 (3) 19번째 홀수

[풀이]

37의 짝꿍수는 38이고, 38을 반으로 가르면 19이기 때문에 38은 19번째 짝수, 37은 19번째 홀수입니다.

01

[정답] (1) 7번째 홀수 (2) 8번째 짝수
(3) 10번째 홀수 (4) 13번째 홀수

[풀이]

짝수는 반으로 갈라서 순서를 구하고 홀수는 짝꿍수인 짝수를 반으로 갈라 순서를 구합니다.

02

[정답] (1) 17 (2) 10
(3) 11 (4) 22

[풀이]

□번째 짝수는 □를 2배하여 구할 수 있고, □번째 홀수는 짝꿍이 되는 □번째 짝수를 먼저 구하는 것이 쉽습니다.

03

[정답] ■ - [34]개 ■ - [33]개

[풀이]

시작과 끝이 검은색 사각형이므로 검은색 사각형이 노란색 사각형보다 1개 많습니다. 따라서 노란색 사각형은 66을 반으로 가른 33개 있고, 검은색 사각형은 이보다 한 개 많은 34개 있습니다.

13쪽

탐구 유형 1-2 **남은 구슬의 개수**

[정답] (1) ① 9개 ② 14개 ③ 24개 ④ 31개
(2) 홀수

[풀이]
보라색 사탕은 2개씩 묶고 1개 남으므로 홀수입니다. 묶고 남은 사탕 3개를 다시 2개씩 묶어도 1개 남습니다. 따라서 사탕은 홀수 개 있습니다.

01

[정답] (1) 홀수 + 짝수 + 홀수 (2) 홀수 + 홀수 + 홀수 (3) 짝수 + 홀수 + 짝수

[풀이]
홀수의 개수는 (1)번부터 순서대로 2개, 3개, 1개 입니다.

02

[정답]

(1) 3+♣+♣+♣ (2) 7+★+★+♣+♣ (3) 5+♣+★+★+★ (4) 3+★+★+★+★

[풀이]
홀수의 개수는 (1)번부터 순서대로 4개, 3개, 2개, 1개입니다.

14쪽

탐구 유형 1-3 **똑같이 자르기**

[정답]

(1)

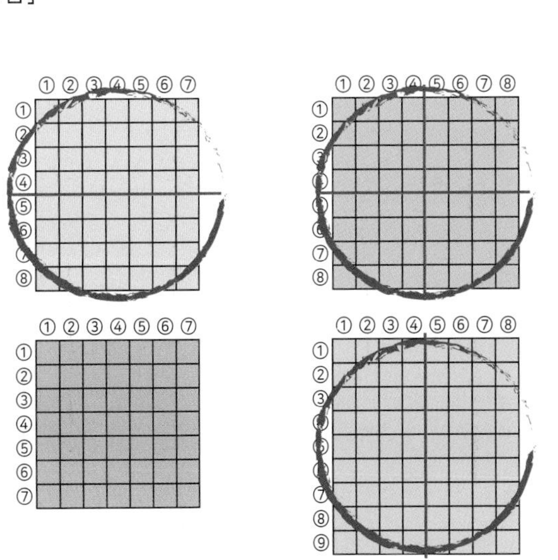

(2) 줄의 개수가 가로 세로 모두 홀수이면 반으로 나눌 수 없습니다.

15쪽

01

[정답] (1) 3개 (2) 4개 (3) 6개 (4) 9개

[풀이]
병 안의 구슬을 둘씩 짝지으면 1개가 남습니다. 따라서, 병의 개수가 짝수이면 남은 구슬을 둘씩 짝짓고 남는 구슬이 없습니다. 병의 개수가 홀수이면 남은 구슬을 둘씩 짝짓고 1개의 구슬이 남습니다.

02

[정답]

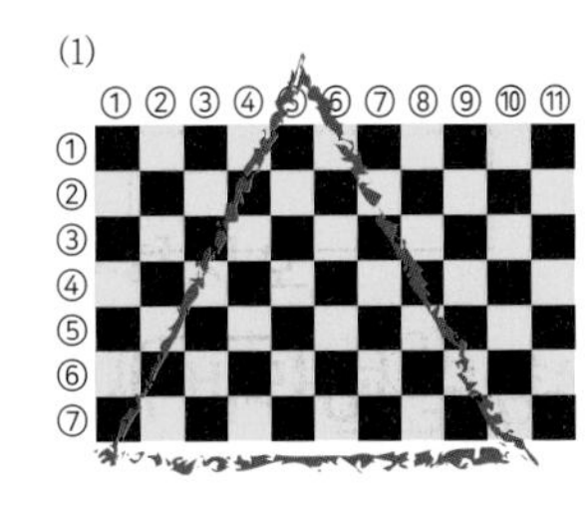

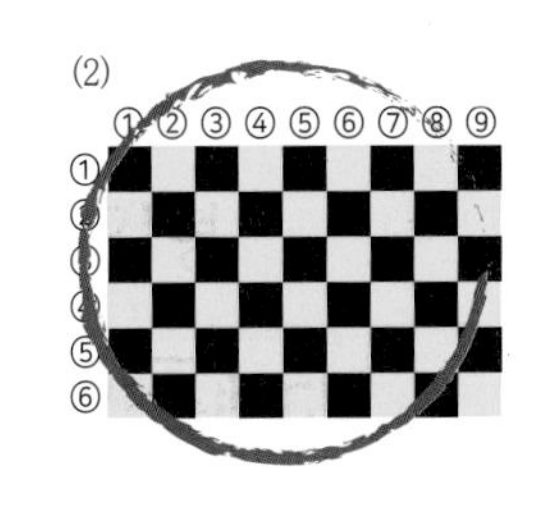

[풀이]
가로줄 또는 세로줄을 2개씩 묶으면 두 가지 색의 칸의 개수가 같기 때문에 줄의 개수가 짝수인 것은 두 가지 색의 칸의 개수가 같습니다.

03

[정답] (1) ●×◆  (2) ◆×◆  (3) ●×●  (4) ◆×●

[풀이] 짝수를 한 번이라도 곱하면 짝수가 됩니다.

16쪽

탐구주제 2 **배수와 나머지**

□ 안에 알맞은 수를 채우고, 수를 채울 수 없는 식은 X표 하시오.

① 6×☒ = 16 ② 6× 4 = 24

③ 6×☒ = 32 ④ 6× 9 = 54

남는 것 없이 필통을 채울 수 있는 연필의 개수에 모두 ○표 하시오.

① 16자루 ② 24자루 ③ 32자루 ④ 54자루

다음 중 2의 배수에 ○표, 3의 배수에 □표, 5의 배수에 △표 하시오.

15 19  20  24  28  30

17쪽

연필을 5자루씩 묶으시오.

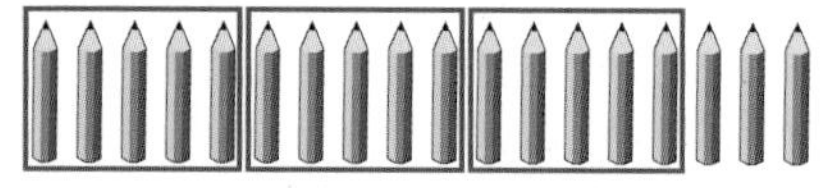
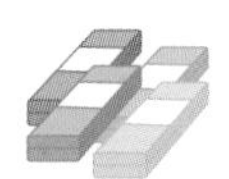

연필을 5자루씩 묶은 결과를 식으로 나타내었습니다. 빈칸에 알맞은 수를 채우시오.

5 × 3 + 3 = 18

18개의 연필을 필통 한 개에 5자루씩 넣으면 몇 개의 필통을 채우고, 몇 자루의 연필이 남습니까?

3개의 필통을 채우고 3자루의 연필이 남습니다.

18쪽

탐구 유형 2-1 **배수 퍼즐**

[정답]

4×7=28

	28		56	7
15		27		3
	24		48	6
10		18		2
5	4	9	8	

	18	24		3
10			20	5
14			28	7
	54	72		9
2	6	8	4	

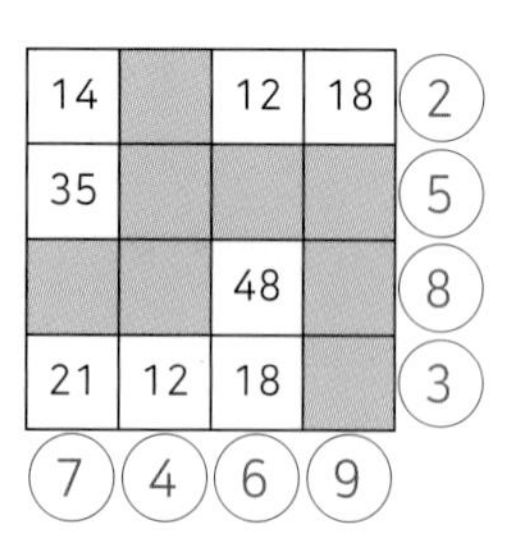

14		12	18	2
35				5
		48		8
21	12	18		3
7	4	6	9	

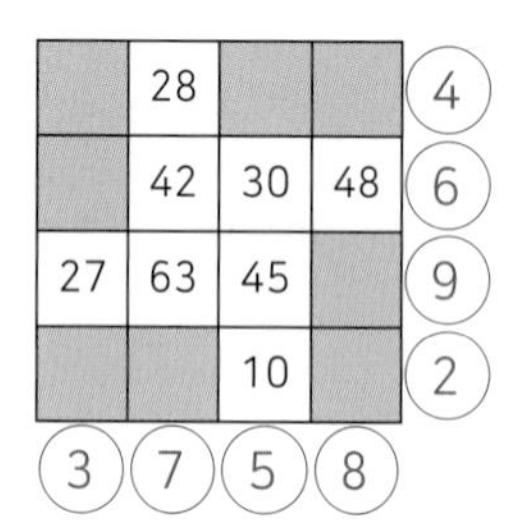

	28			4
	42	30	48	6
27	63	45		9
		10		2
3	7	5	8	

[풀이]

5와 7의 배수의 가로, 세로를 먼저 살핍니다.

19쪽

01

[정답]

(1) (2)

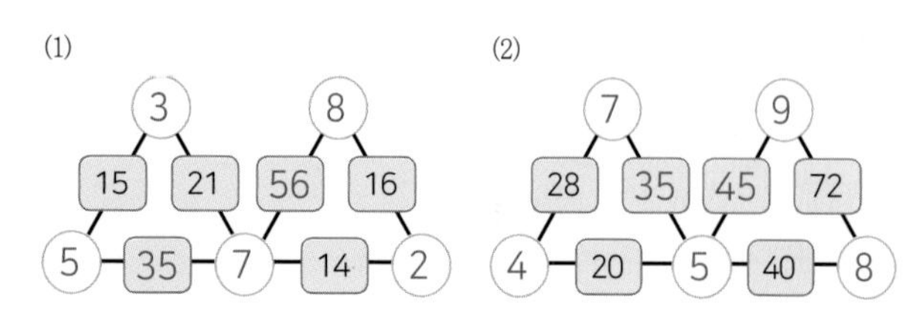

[풀이]

(1) 15와 21은 3의 배수이므로 왼쪽 위의 ○에 들어갈 수는 3입니다.

(2) 20와 28은 4의 배수이므로 왼쪽 위의 ○에 들어갈 수는 4입니다.

02

[정답]

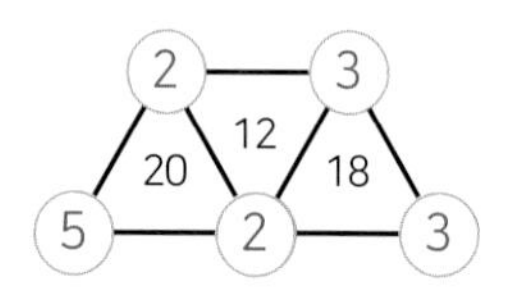

[풀이]

20과 12는 공통으로 4의 배수입니다. 따라서 20과 12의 사이에 있는 두 ○에는 2, 2가 들어갑니다. 또는 12와 18이 공통으로 6의 배수라는 것을 이용하여 사이에 2와 3을 먼저 찾을 수도 있습니다.

20쪽

탐구 유형 2-2 **수 배열표**

[정답] (1) 11: 1 23: 3

(2) 11: 1 열 23: 3 열

[풀이]

11에서 5를 2번 빼면 1이 남고 23에서 5를 4번 빼 면 3이 남습니다. 따라서 11은 1열, 23은 3열에 있는 수입니다.

01

[정답] ⑴ 2개 ⑵ 1개 ⑶ 3개 ⑷ 0개

21쪽

02

[정답] ⑴ 16: 4 열 ⑵ 23: 5 열 ⑶ 19: 1 열 ⑷ 30: 6 열

[풀이]

6의 배수는 모두 6열에 있습니다. 6의 배수가 아니면 6을 더 이상 뺄 수 없을 때까지 빼고 남는 수가 열의 번호입니다.

03

[정답] (1) 17 (2) 20 (3) 44 (4) 32

[풀이]

5를 더 이상 뺄 수 없을 때까지 빼고 남는 수가 2인 수는 2열, 4인 수는 4열에 올 수 있습니다.

22쪽

탐구 유형 2-3 더한 수의 위치

[정답] (1) : 2 : 4 (2) 1 (3) 1열

[풀이]

두 색칠된 칸은 각각 2열, 4열에 있기 때문에 두 칸의 수를 더하면 2에 4를 더한 6과 같은 열에 있습니다.

01

[정답] 5개

[풀이]

오전, 오후에 만든 붕어빵의 개수에 6을 최대한 빼면 각각 5개, 2개입니다. 여기에 5개를 더 더해야 붕어빵의 개수가 6의 배수가 됩니다.

23쪽

02

[정답] (1) 1반: 3 명 2반: 4 명 3반: 2 명

(2) 4 명

[풀이]

각 반에서 모둠을 이루고 남은 학생들은 모두 9명이고 이 중에서 한 모둠을 더 만들어 4명이 남습니다.

03

[정답] (1) + : 4 열 (2) + : 3 열

(3) + : 1 열 (4) + : 6 열

[풀이]

색칠된 칸이 있는 열의 첫 번째에 있는 수를 더해 몇 번 열에 있는지 구합니다.

24쪽

01

[정답] (1) ♣ + ♣ + 3 (2) ♣ + 2 + ♠ + ♣ (3) 4 + ♠ + ♠ + 5

[풀이]

첫 번째 식에서 7 + ♠ + ♠이 홀수이므로 ♣는 홀수입니다. 두 번째 식에서 2 + ♣ + ♣이 짝수이므로 ♠는 짝수입니다.

홀수의 개수는 (1)번부터 순서대로 3, 2, 1이므로 (1), (3)번은 홀수, (2)번은 짝수가 나옵니다.

02

[정답] 3열

[풀이]

빨간색 칸의 수에 3, 8, 11, 16 등 5를 최대한 뺐을 때 3이 남는 수만큼 더하면 파란색 칸의 수가 나옵니다.

25쪽

03

[정답] 3열

[풀이]

주황색 칸의 수는 6을 최대한 빼면 4가 남습니다. 여기에 3을 한 번 더 빼면 1이 남기 때문에 주황색 칸의 수는 왼쪽 수 배열표의 1열에 있습니다.

04

[정답]

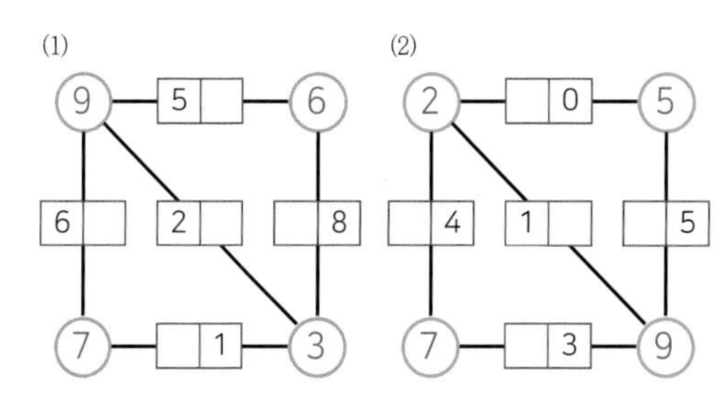

[풀이]

(1) 서로 다른 곱의 십의 자리 숫자가 6이 되는 두 수는 7과 9, 일의 자리 숫자가 1이 되는 두 수는 7, 3입니다.

(2) 서로 다른 곱의 일의 자리 숫자가 3인 두 수는 7과 9입니다. 곱의 일의 자리 숫자가 0인 두 수 중 하나는 5, 하나는 짝수이고, 일의 자리 숫자가 5인 두 수 중 하나는 5, 하나는 홀수입니다.

2. 숫자 카드와 수

27쪽

세 자리 수 만들기

숫자 카드 3장을 순서대로 놓아서 만들 수 있는 세 자리 수의 개수를 구하시오.

18개

28쪽

다음의 숫자 카드 중에서 3장을 골라 만들 수 있는 세 자리 수의 개수를 구하시오.

(1) 2 4 7 6개

(2) 0 3 5 8 18개

[풀이]

(1) 백의 자리, 십의 자리, 일의 자리에서 놓을 수 있는 숫자가 3개, 2개, 1개입니다. 3×2×1=6(개), (2) 백의 자리에 0이 올 수 없습니다. 3×3×2=18(개)

29쪽

백의 자리 숫자가 1인 세 자리 수를 모두 구하시오.

122, 123, 132

백의 자리 숫자가 2인 세 자리 수를 모두 구하시오.

212, 213, 221, 223, 231, 232

백의 자리 숫자가 3인 세 자리 수를 모두 구하시오.

312, 321, 322

숫자 카드로 만들 수 있는 세 자리 수는 모두 몇 개입니까?

12개

다음의 숫자 카드 중에서 3장을 골라 만들 수 있는 세 자리 수의 개수를 구하시오.

 6개

[풀이]

336, 363. 366. 633. 636. 663의 6개를 만들 수 있습니다.

30쪽

탐구주제 1 숫자로 수 만들기

탐구 유형 1-1 만들 수 있는 수의 개수

[정답] (1) 2 - ×

3 - 352, 356, 362, 365

5 - 523, 526, 532, 536, 562, 563

6 - 623, 625, 632, 635, 652, 653

(2) 16개

[풀이]

숫자 2는 백의 자리에 올 수 없습니다. 숫자 3이 백의 자리에 오는 경우는 십의 자리 숫자가 5보다 크거나 같아야 합니다.

연습 01

[정답] 10개

[풀이]

백의 자리 숫자에 따라 다음의 수를 만들 수 있습니다.

1 - 1□□에 차례로 십의 자리에 3가지, 일의 자리에 2가지 숫자가 올 수 있으므로 6개의 수를 만들 수 있습니다.

3 - 301, 305, 310, 315

31쪽

연습 02

[정답] 6개

[풀이]

4 - 411, 417, 471 7 - 711, 714, 741

연습 03

[정답] 10개

[풀이]

백의 자리 숫자에 따라 다음의 수를 만들 수 있습니다.

5 - 572, 579, 592, 597

7 - 7□□에 차례로 십의 자리에 3가지, 일의 자리에 2가지 숫자가 올 수 있으므로 6개의 수를 만들 수 있습니다.

04

[정답] 3개

[풀이]

32쪽

탐구 유형1-2 **8번째로 큰 수, 작은 수**

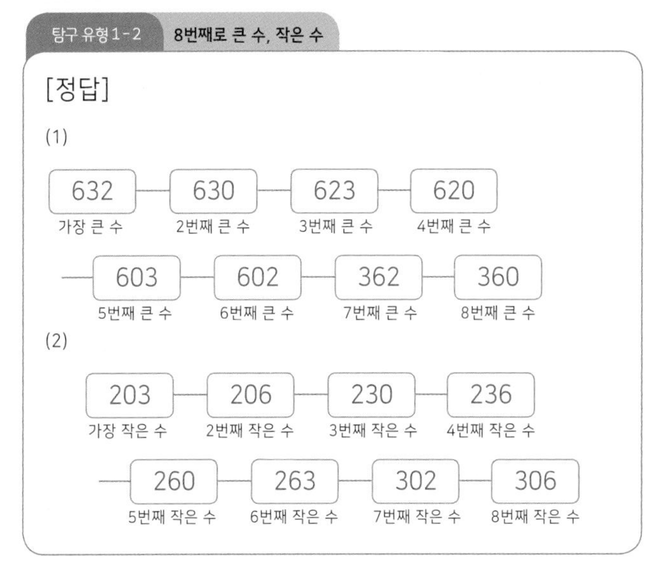

01

[정답] 714

[풀이]

큰 순서대로 5개의 세 자리 수를 쓰면 다음과 같습니다.

742, 741, 724, 721, 714

33쪽

02

[정답]

03

[정답] 502

[풀이]

작은 순서대로 7개의 세 자리 수를 쓰면 다음과 같습니다.

205, 206, 250, 256, 260, 265, 502

34쪽

탐구 유형1-3 **몇 번째 큰 수, 작은 수**

[정답]

(1) • 백의 자리 숫자가 1인 수의 개수 : 6개

• 백의 자리 숫자가 2인 수의 개수 : 6개

(2) 2개

(3) 16번째

[풀이]

하나씩 수를 모두 써 보지 않고 모아서 생각할 수 있습니다. 1□□, 2□□인 수가 각각 6개, 31□인 수가 2개, 다음으로 321, 324입니다.

01

[정답] 15번째

[풀이]

백의 자리 숫자가 2, 3인 수는 모두 532보다 작고 그 개수는 각각 6개입니다. 백의 자리 숫자가 5인 수 중에 십의 자리 숫자가 2인 수는 모두 532보다 작고 그 개수는 2개입니다.

35쪽

02

[정답] 18번째

[풀이]

백의 자리 숫자가 1, 4인 수는 모두 794보다 작고 그 개수는 각각 6개입니다. 백의 자리 숫자가 7인 수 중에 십의 자리 숫자가 1, 4인 수는 모두 794보다 작고 그 개수는 각각 2개입니다.

03

[정답] 16번째

[풀이]

백의 자리 숫자가 4, 7인 수는 모두 140보다 크고 그 개수는 각각 6개입니다. 백의 자리 숫자가 1인 수 중에 십의 자리 숫자가 0인 수만 140보다 작고 그 개수는 2개입니다.

36쪽

탐구 유형 1-4 **뒤집어진 카드**

[정답] 4

[풀이]

다음 중 합이 999가 되는 경우를 찾습니다.

① ■75+257:불가능 ② 7■5+25■:크기 순서가 잘못됨(

③ 75■+2■5:■=4 ④ 752+■25:불가능

37쪽

01

[정답] 3

[풀이]

숫자 카드의 크기 순서에 따라 합이 777이 되는 경우를 찾습니다.

① ■54+245:불가능 ② 54■+2■4:■=3

③ 542+■24:불가능

02

[정답] 4

[풀이]

두 번째로 큰 수를 만들 때는 세 번째로 큰 숫자를 사용하지 않으므로 초록색 카드에는 세 번째로 큰 숫자가 적혀 있습니다. 따라서 3보다 크고 5보다 작아야 합니다.

03

[정답] 7, 8, 9

[풀이]

숫자가 보이는 카드로 만들 수 있는 가장 작은 세 자리 수는 147입니다. 연두색 카드의 숫자가 7, 8 또는 9이면 147보다 더 작은 세 자리 수를 만들 수 없지만 6보다 작거나 같으면 더 작은 세 자리 수를 만들 수 있습니다.

38쪽

탐구주제

탐구 유형 2-1 **조건에 맞는 디지털 수**

[정답] (1) 0, 1, 2, 5, 6, 8, 9 (2) 0, 1, 2, 5, 8

(3) 6 (4) 986

[풀이]

십의 자리 숫자는 똑같으므로 (2)에서 구한 숫자 중 가장 큰 8이 옵니다. (1)에서 구한 가장 큰 숫자는 9가 백의 자리에, 그 수를 반 바퀴 돌린 것은 6이 일의 자리에 옵니다.

01

[정답]

[풀이]

반 바퀴 돌려도 똑같이 보이는 숫자 중 가장 작은 것 두 개는 0, 1입니다. 백의 자리에는 0이 올 수 없지만 십의 자리에는 0이 올 수 있습니다.

39쪽

02

[정답] 852

[풀이]

조건 ①을 만족하는 숫자는 0, 1, 2, 5, 8입니다. 조건 ② 때문에 5개의 숫자 중 0을 제외합니다. 따라서 1, 2, 5, 8로 만들 수 있는 가장 큰 세 자리 수를 구합니다.

03

[정답]

[풀이]

백의 자리 숫자로 9를 쓰면 선 9개를 더 쓸 수 있어 9, 7을 각각 십의 자리, 일의 자리 숫자로 사용해 가장 큰 수를 만듭니다.

백의 자리 숫자로 1을 쓰면 선 13개를 더 쓸 수 있어 0, 8을 각각 십의 자리, 일의 자리 숫자로 사용해 가장 작은 수를 만듭니다.

40쪽

탐구 유형 2-2 거울수

[정답] (1) 90가지 (2) 90개

[풀이]

천의 자리와 백의 자리를 채우는 방법은 두 자리 수의 개수와 같습니다. 큰 자리에 0을 제외한 숫자, 작은 자리에 모든 숫자가 올 수 있습니다. 10에서 99까지의 수의 개수는 90개입니다.

01

[정답] (1) 10개 (2) 9개

[풀이]

(1), (2)에서 각각 백의 자리, 십의 자리 수는 정해져 있으므로 각각 십의 자리, 천의 자리 숫자로 가능한 것만 고르면 됩니다.

십의 자리에는 0을 포함한 숫자가 모두 올 수 있고, 천의 자리에는 0을 제외한 숫자가 모두 올 수 있습니다.

41쪽

02

[정답] 90개

[풀이]

백의 자리, 십의 자리에 올 수 있는 숫자만 따지면 됩니다. 백의 자리에는 0을 제외한 숫자, 십의 자리에는 모든 숫자가 올 수 있으므로 조건을 만족하는 수의 개수는 두 자리 수의 개수와 같습니다.

03

[정답] 6006, 5115, 4224, 3333, 2442, 1551

[풀이]

천의 자리와 일의 자리에 오는 숫자가 같고 백의 자리와 십의 자리에 오는 숫자가 같습니다. 따라서 조건을 만족하는 수의 개수는 각 자리 숫자의 합이 6인 두 자리 수의 개수와 같습니다.

각 자리 숫자의 합이 6인 두 자리 수는 60, 51, 42, 33, 24, 15가 있습니다.

42쪽

01

[정답] 12개

[풀이]

짝수인 숫자 카드는 2장입니다. 일의 자리 숫자부터 시작해서 더 높은 자리 숫자를 순서대로 고르면 십의 자리, 백의 자리에 올 수 있는 숫자는 각각 3개, 2개입니다. 따라서 일의 자리 숫자 하나를 정하면 수 6개를 만들 수 있습니다.

02

[정답] 206

[풀이]

조건 ①을 만족하는 숫자는 0, 1, 2, 5, 6, 8, 9입니다. 이 중 1, 5, 9가 일의 자리 숫자가 되면 홀수가 됩니다. 따라서 조건 ①, ②를 모두 만족하는 숫자는 0, 2, 6, 8입니다.

43쪽

03

[정답] 28개

[풀이]

십의 자리 숫자가 2일 때 일의 자리에 올 수 있는 숫자는 3부터 9까지 7개입니다. 십의 자리 숫자가 1씩 커질 때마다 일의 자리에 올 수 있는 숫자도 한 개씩 줄기 때문에 $7+6+5+4+3+2+1=28$개의 수를 만들 수 있습니다.

04

[정답]

[풀이]

가장 큰 수의 십의 자리 숫자는 가장 작은 수의 십의 자리 숫자보다 크기 때문에 두 수의 차를 구하면 그 수의 백의 자리 숫자는 $9-3=6$이고 일의 자리도 이와 같습니다. 가장 큰 수의 일의 자리 숫자는 3번째로 큰 숫자, 가장 작은 수의 일의 자리 숫자는 2번째로 큰 숫자이기 때문에 초록색 카드의 숫자는 주황색 카드의 숫자보다 4 큽니다.

뒤집어진 두 카드의 숫자로 가능한 것은 4부터 8까지의 숫자이기 때문에 주황색 카드에는 4, 연두색 카드에는 8이 옵니다.

3. 거울에 비친 모양

45쪽

색종이 접어서 구멍 뚫기

색종이 위에 접은 선을 그려 보시오.

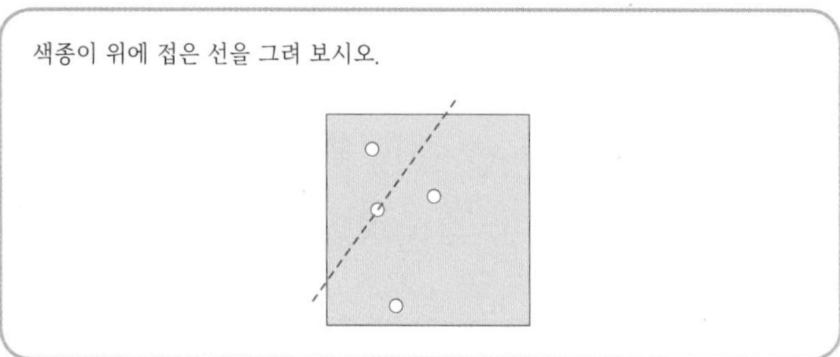

46쪽

색종이를 접어서 다음과 같이 구멍을 뚫었습니다. 구멍 뚫린 색종이를 펼쳤을 때 구멍의 위치를 아래에 그리시오.

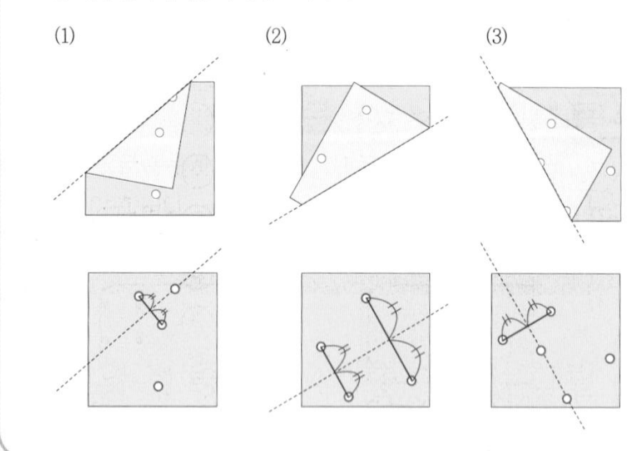

47쪽

색종이 자르기

아래의 색종이를 접었을 때 빨간색 꼭짓점이 놓이는 위치를 나타내시오.

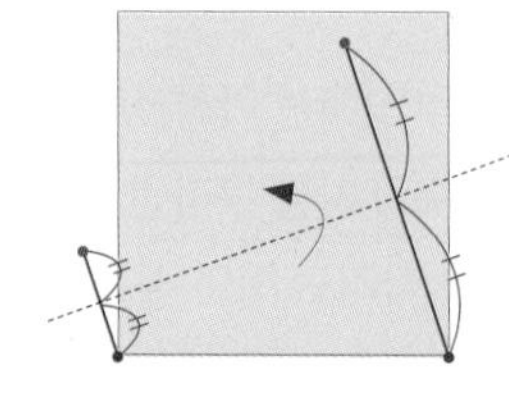

꼭짓점의 위치를 이용하여 접은 색종이 모양을 그리시오.

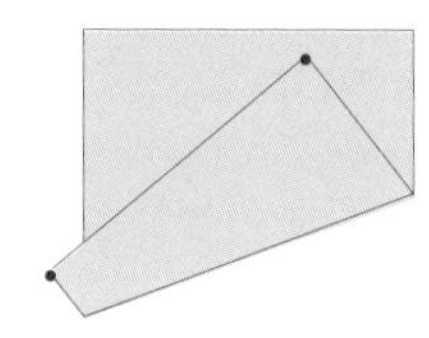

아래의 색종이를 접은 모양을 그리시오.

48쪽

탐구 유형1-1 2번 접어 자르기

[정답]

(1)

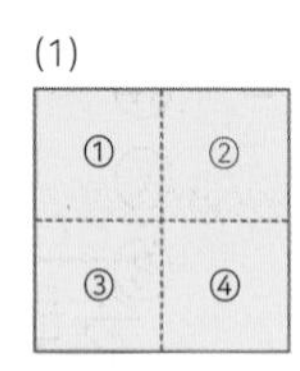

(2)

(3)

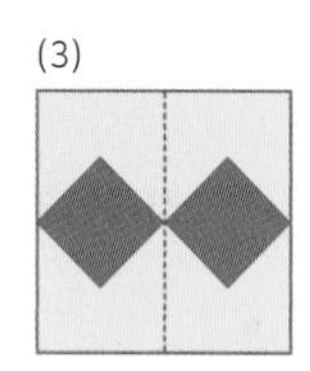

[풀이]

종이를 한 번 접으면 ②, ④번 자리로 모이고 또 한 번 접으면 ②번 자리로 모이기 때문에 반대로 펼쳐서 구멍의 모양을 구하면 위와 같습니다.

49쪽

01

[정답]

(1)

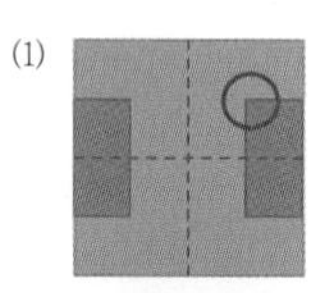

(2)

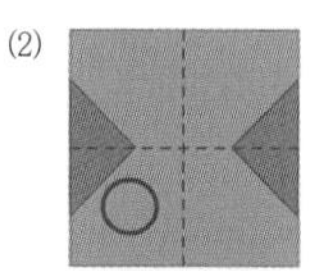

(3)

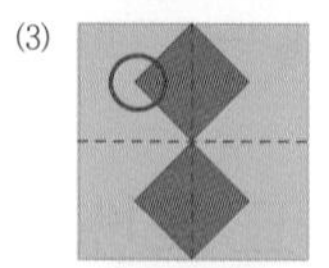

(4)

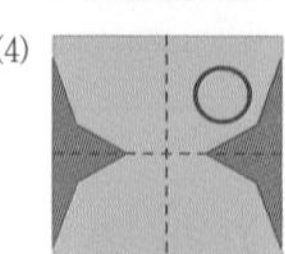

(5)

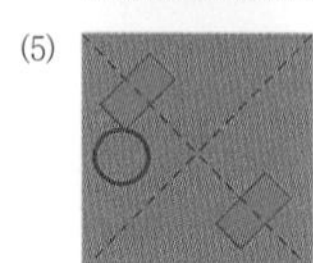

(6)

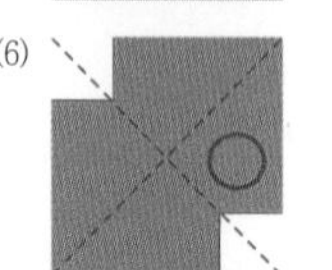

(7)

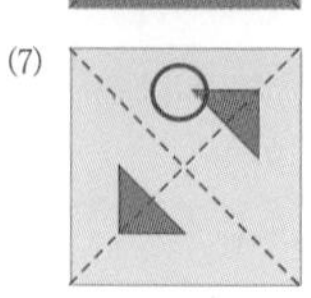

(8)

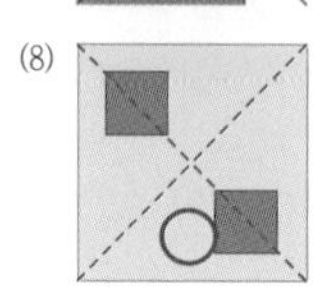

[풀이] 접으면 ○표 한 자리에 모입니다.

50쪽

02

[정답]

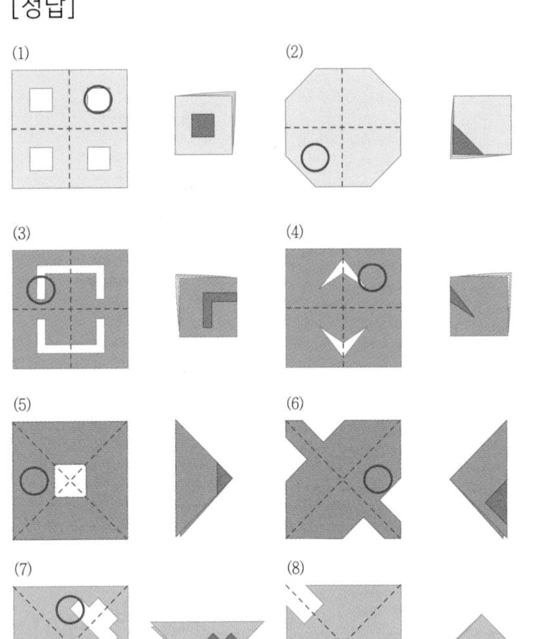

[풀이] 빨간 점선을 따라 ○표 한 자리에 모이게 접게 됩니다.

51쪽

탐구 유형 1-2 투명한 종이 접어 겹치기

[정답]

(1)

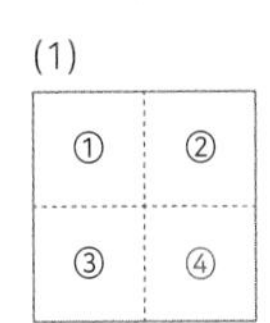

(2)

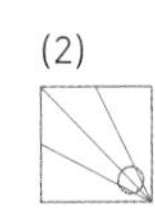

[풀이]

○의 위치로 접어서 어느 곳에 모이는지 알 수 있습니다. 다음과 같이 접을 수 있습니다.

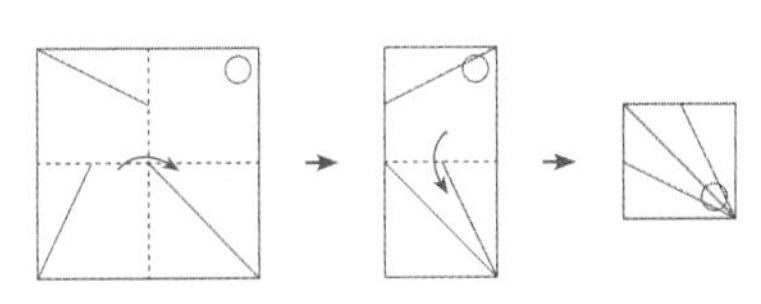

52쪽

02

[정답]

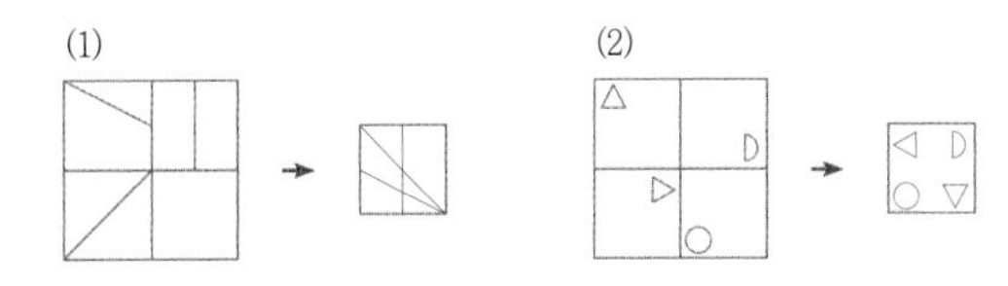

[풀이]

예시의 투명 종이는 다음과 같은 순서로 접어 ○표 한 칸으로 모입니다. 단, 첫 번째, 두 번째 접는 방법은 서로 순서가 바뀔 수 있습니다.

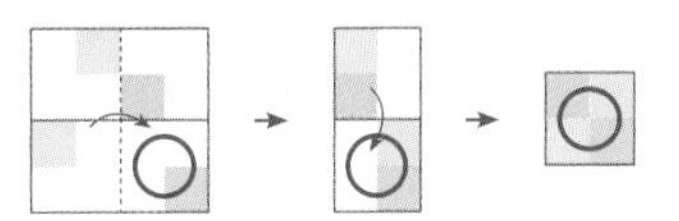

같은 방법으로 문제의 투명 종이를 다음과 같이 접을 수 있습니다.

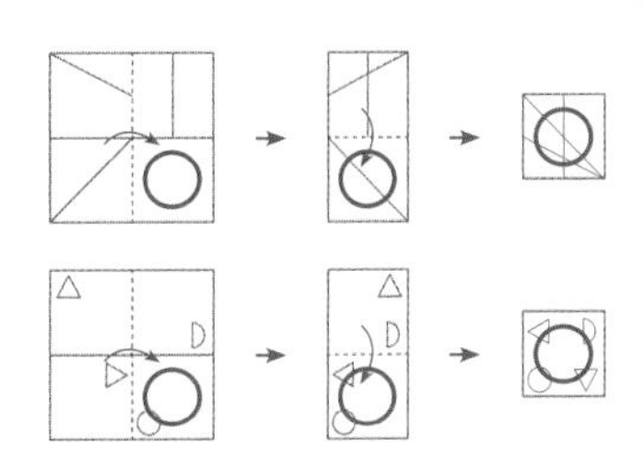

02

[정답]

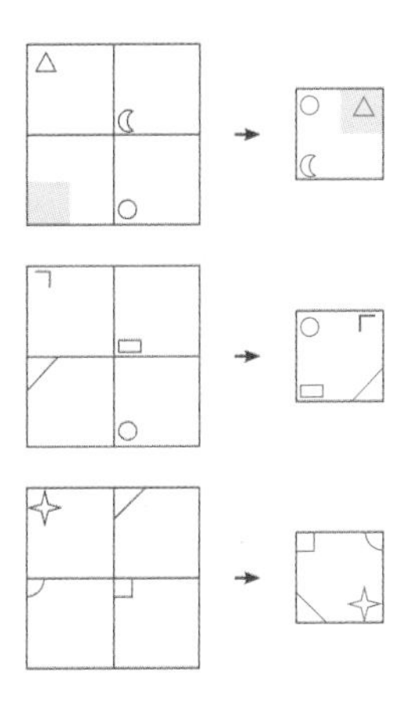

[풀이] 오른쪽 그림에 있는 모양 하나로 투명 종이를 아래 ○표 한 곳으로 모이도록 접는 것을 확인할 수 있습니다.

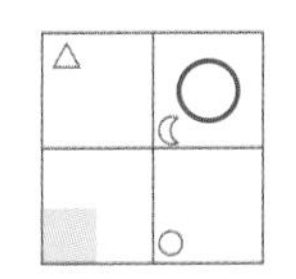
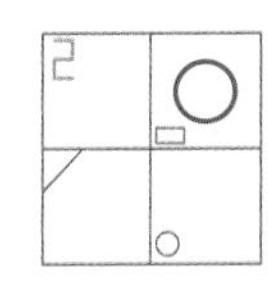
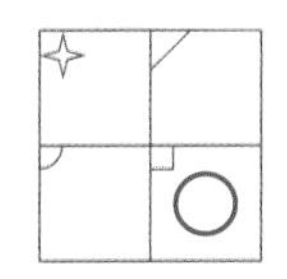

53쪽

탐구 유형 1-3 **겹치는 그림**

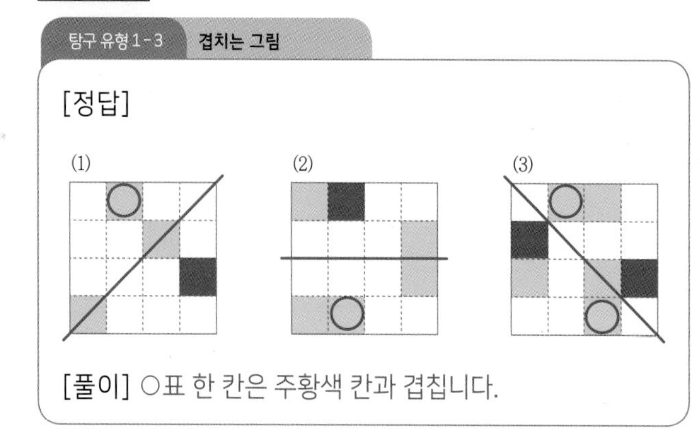

[정답]

[풀이] ○표 한 칸은 주황색 칸과 겹칩니다.

01

[정답]

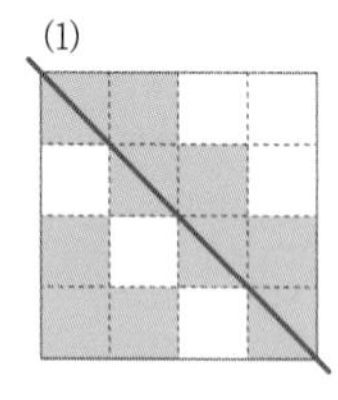

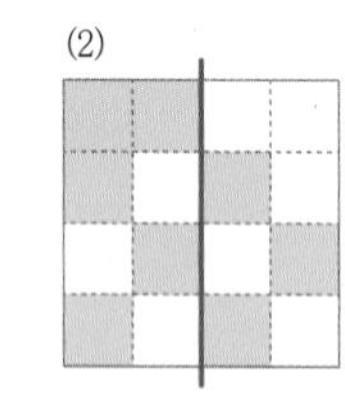

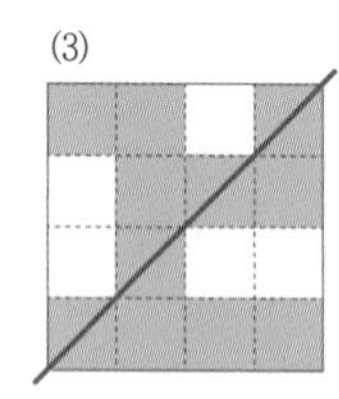

[풀이]

겹치는 두 칸 중 하나는 색칠되어 있어야 합니다. 대각선 방향으로 접을 때는 대각선이 지나가는 칸이 전부 색칠되어 있어야 합니다.

54쪽

02

[정답]

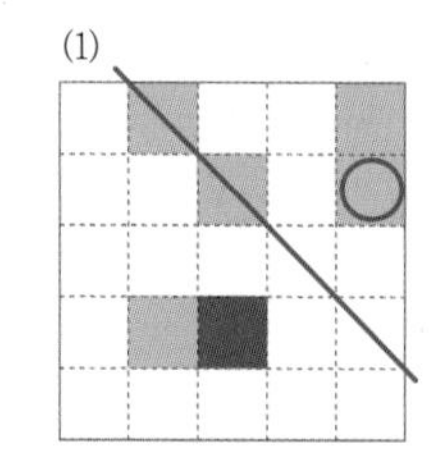

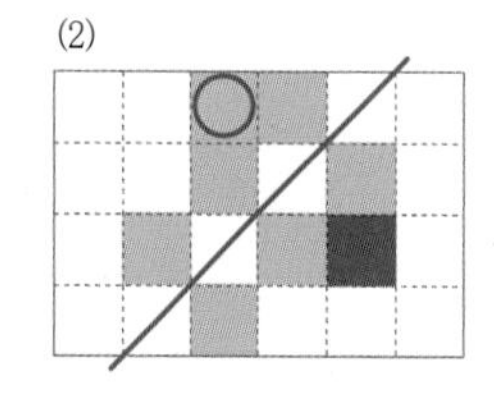

[풀이] ○표 한 칸은 주황색 칸과 겹칩니다.

03

[정답]

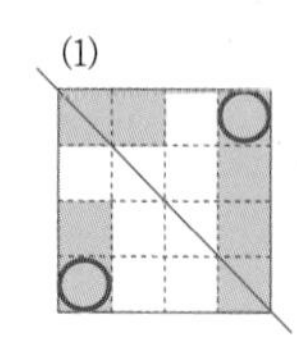

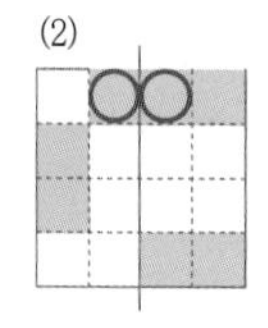

[풀이]

선을 따라 접으면 ○표 한 칸끼리만 겹칩니다.

55쪽

탐구 주제 2 **거울에 비친 시계**

원래 시계와 거울에 비친 시계의 시각의 합을 구하고, 규칙을 찾아보시오.

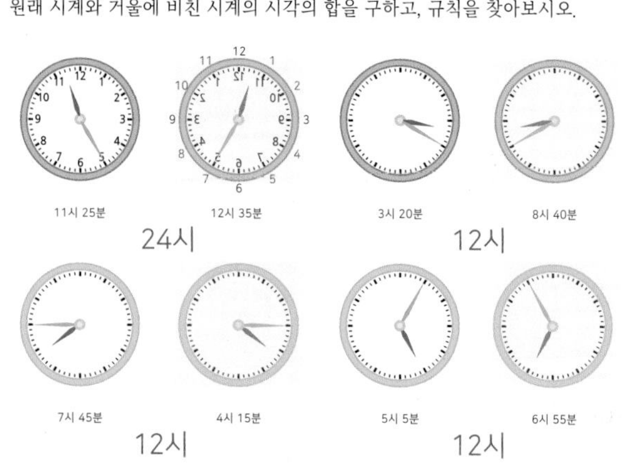

짧은 바늘이 11과 12, 12와 1 사이에 있으면 시각의 합이 24시고, 그 외의 경우는 시각의 합이 12시입니다.

56쪽

탐구 유형 2-1 **거울 속의 바늘 시계**

[정답] (1) 8시 20분 (2) 9시 35분

(3)

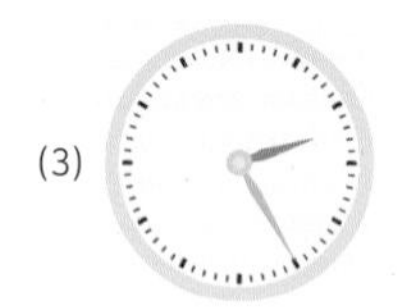

[풀이]

거울에 비친 시계는 왼쪽과 오른쪽이 바뀝니다. 따라서 처음 시각은 8시 20분입니다. 1시간 15분 후의 시각은 8시 20분 + 1시 15분 = 9시 35분이고 이 시계를 왼쪽과 오른쪽을 바꿔 그리면 위와 같습니다.

[정답]

[풀이]

거울에 비친 시계를 왼쪽과 오른쪽을 바꿔 그리면 2시간 전의 시각은 6시 35분입니다. 따라서 현재 시각은 8시 35분입니다.

57쪽

[정답]

[풀이]

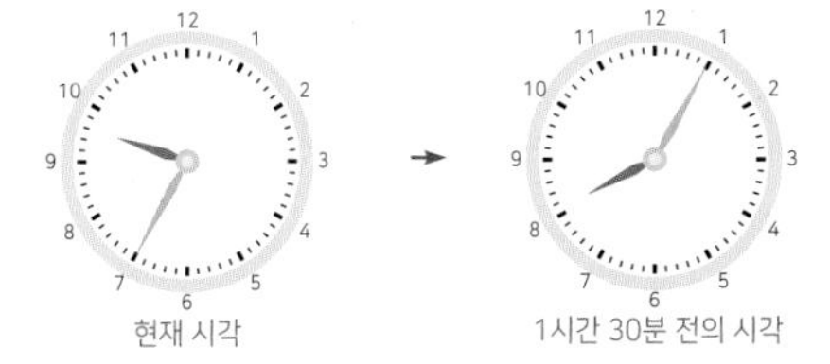

1시간 30분 전의 시각은 9시 35분 - 1시간 30분 = 8시 5분입니다. 왼쪽과 오른쪽을 바꿔 거울에 비친 시계를 그리면 3시 55분을 가리킵니다.

[정답] 9시 10분

[풀이]

왼쪽과 오른쪽을 바꿔 거울에 비친 시계를 그리면 왼쪽 시계는 6시 20분, 오른쪽 시계는 2시 50분을 가리킵니다. 두 시각을 더하면 6시 20분 + 2시 50분 = 9시 10분입니다.

58쪽

탐구 유형 2-2 **거울 속의 디지털 숫자**

[정답] (1) 0, 1, 8 (2) 2, 5 (3) 6번

[풀이] 조건을 만족하는 시간은 다음과 같습니다.

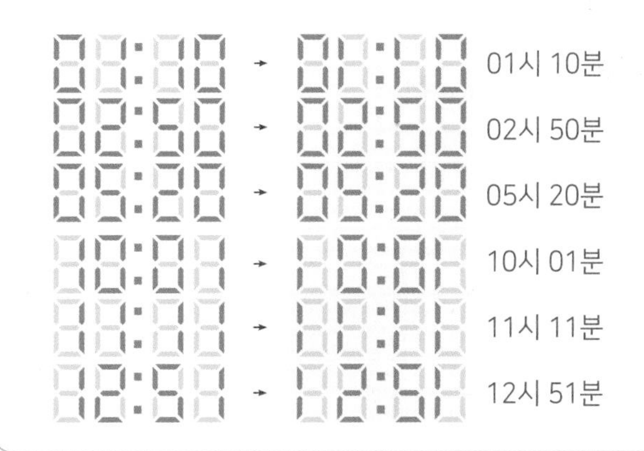

[정답] 4일

[풀이] 조건을 만족하는 날짜는 다음과 같습니다.

1월 10일
5월 20일
10월 1일
11월 11일

59쪽

02
[정답]

02시 20분

[풀이]
원래 시계와 거울 속 시계의 시를 나타내는 두 수의 차가 3 또는 4가 되어야 합니다. 따라서 원래 시계의 시를 나타내는 수는 2, 거울 속 시계의 시를 나타내는 수는 5입니다.

02시 20분 → 05시 50분

03
[정답]

3 + 8 = 11
또는 8+3=11

[풀이]
위에 놓은 거울로 봐도 똑같이 보이는 숫자는 0, 1, 3, 8입니다.

60쪽

01
[정답]

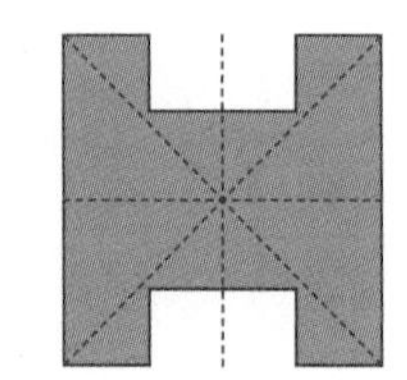

[풀이]
자른 종이를 순서대로 펼치면 다음과 같습니다.

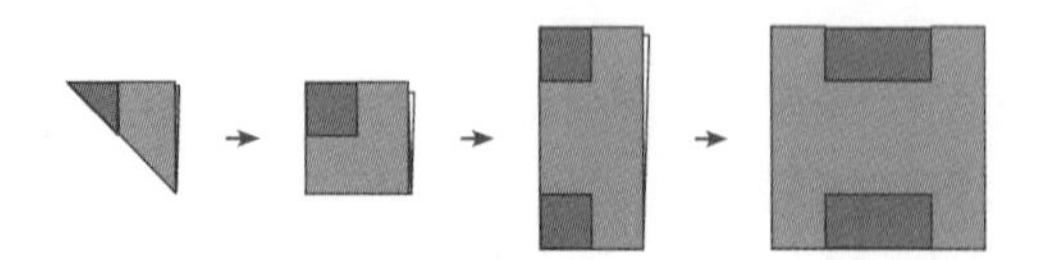

02
[정답]

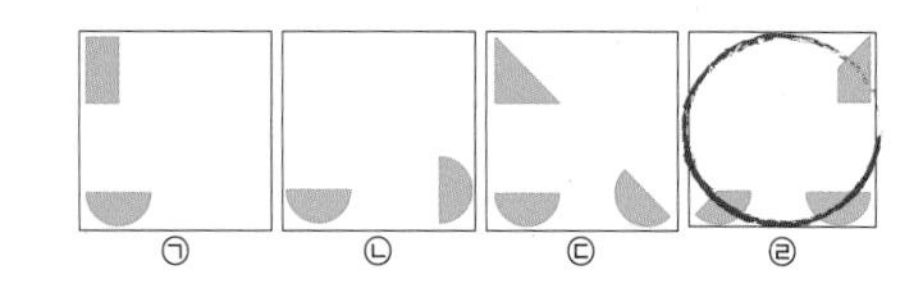

[풀이]
색종이를 반으로 접는 방법은 4가지가 있습니다.

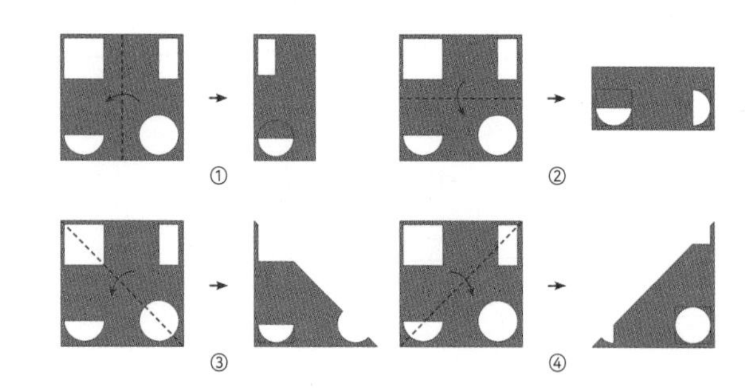

④번 방법으로 칠하면 다음과 같은 모양을 칠할 수 있습니다.

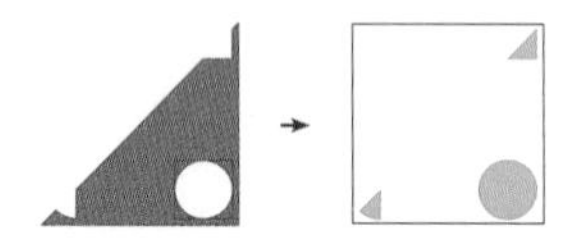

61쪽

03
[정답]

3시 30분

9시 30분

[풀이]
실제 시계와 거울 속 시계가 가리키는 시각의 차가 5시간이므로 두 시계는 12시를 기준으로 2시간 30분씩 차이 나거나 6시를 기준으로 2시간 30분씩 차이 납니다.

6시 기준으로 2시간 30분 전은 6시 - 2시간 30분 = 3시 30분이고, 12시 기준으로 2시간 30분 전은
12시 - 2시간 30분 = 9시 30분입니다.

04

[정답]

5시 20분

[풀이]

바늘 시계는 거울 속의 바늘 시계와 1시간 20분 차이 납니다. 따라서 12시를 기준으로 40분 차이 나는 시각 또는 6시를 기준으로 40분 차이 나는 시각을 나타내야 하므로 다음의 시각이 가능합니다.

12시 + 40분 = 12시 40분

12시 - 40분 = 11시 20분

6시 + 40분 = 6시 40분

6시 - 40분 = 5시 20분

이 중 디지털 시계로 표시할 때 거울로 봐도 똑같은 시각으로 보이는 것은 5시 20분 밖에 없습니다.

4. 도형의 개수

63쪽

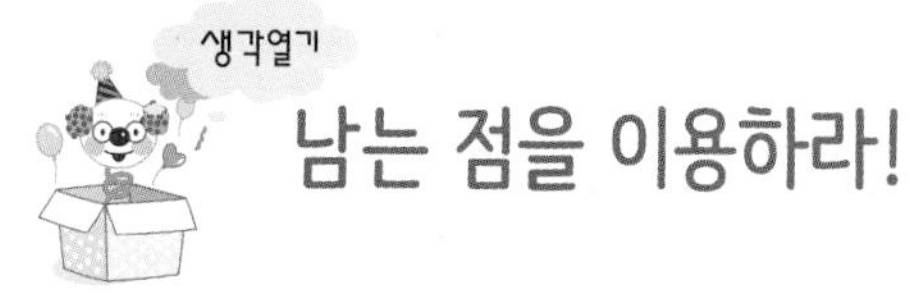

남는 점을 이용하라!

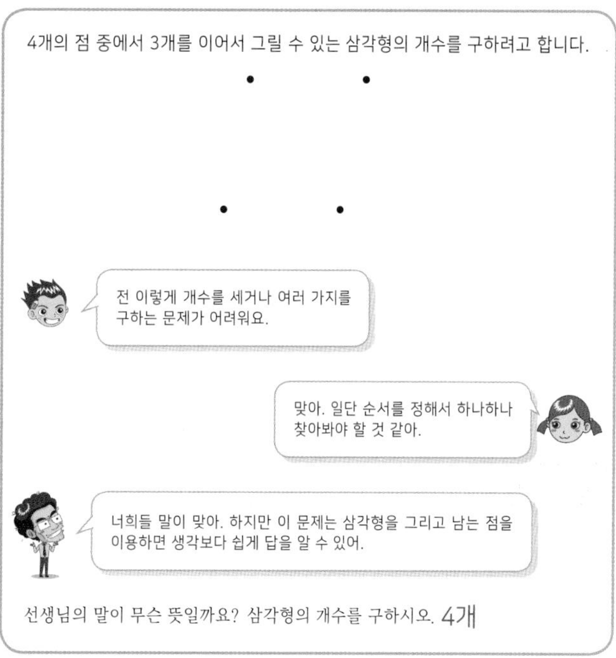

선생님의 말이 무슨 뜻일까요? 삼각형의 개수를 구하시오. 4개

64쪽

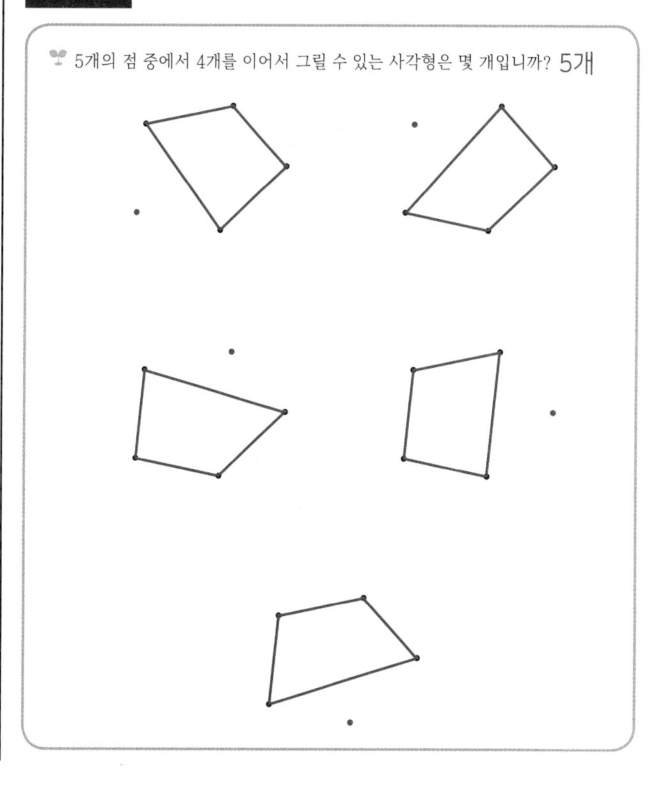

65쪽

탐구 유형 1-1 접어서 자른 모양

[정답]

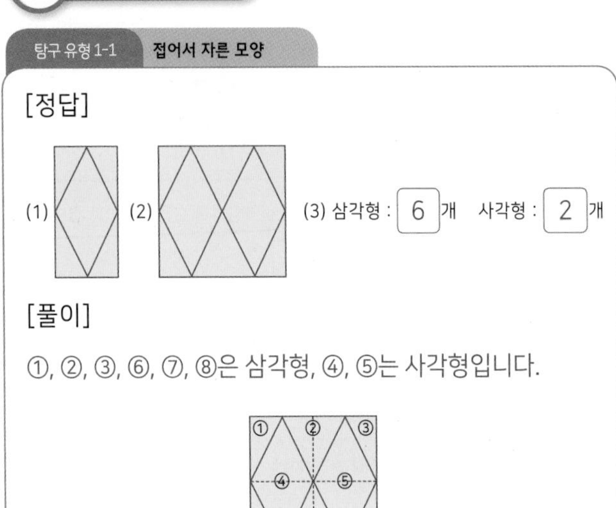

(1) (2) (3) 삼각형 : 6 개 사각형 : 2 개

[풀이]

①, ②, ③, ⑥, ⑦, ⑧은 삼각형, ④, ⑤는 사각형입니다.

66쪽

01

[정답] 삼각형 : 6 개 사각형 : 2 개 오각형 : 2 개

[풀이]

①, ③, ⑤, ⑥, ⑧, ⑩번은 삼각형, ④, ⑦번은 사각형, ②, ⑨번은 오각형입니다.

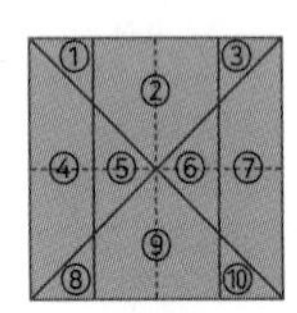

02

[정답] 6개

[풀이] 실선을 따라 자르면 삼각형만 나옵니다.

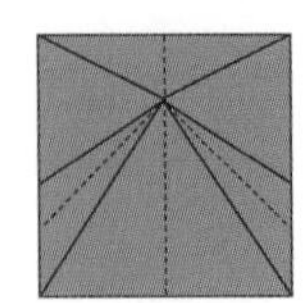

67쪽

탐구 유형 1-2 크고 작은 삼각형

[정답]

(1)

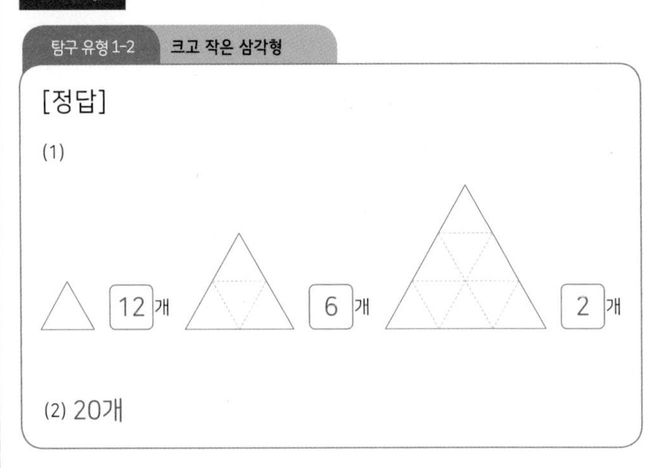

(2) 20개

68쪽

01

[정답] 10개

[풀이] 칸의 개수별로 나누어 세어 보면 다음과 같습니다.

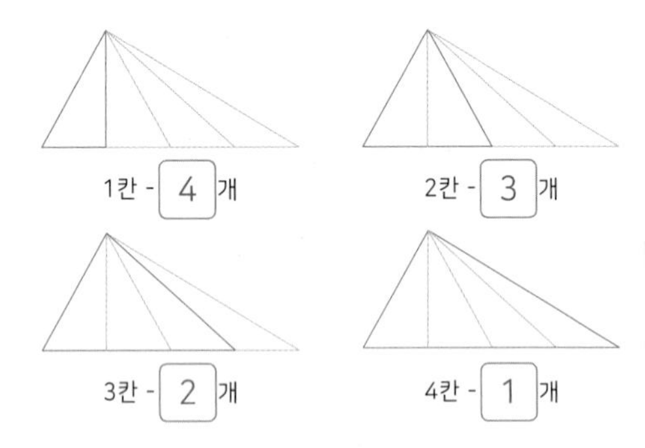

칸이 한 개 늘 때마다 개수가 하나씩 줄어듭니다.

02

[정답] 20개

[풀이] 칸의 개수별로 나누어 세어 보면 다음과 같습니다.

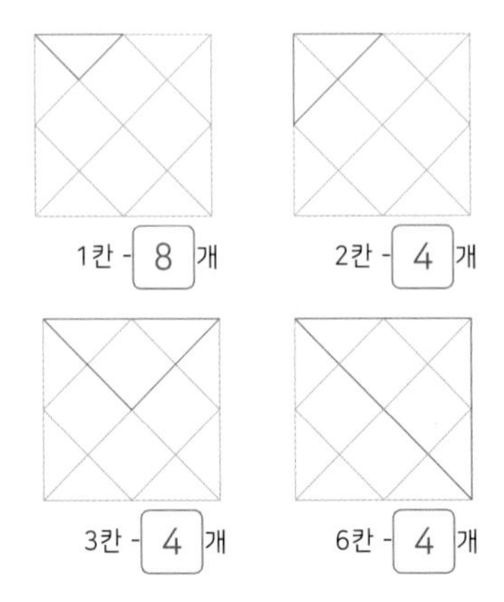

03

[정답] 5개

[풀이] 다음과 같이 5개를 그릴 수 있습니다.

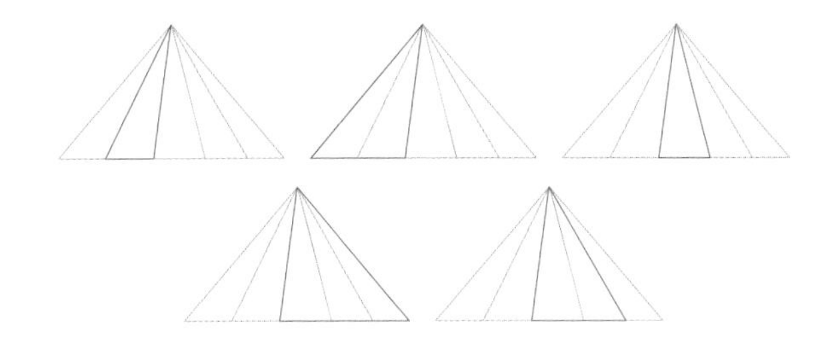

69쪽

탐구 유형 1-3 크고 작은 사각형

[정답]

(1)

1개 - 6 개

2개 붙인 사각형 - 6 개

3개 붙인 사각형 - 2 개

4개 붙인 사각형 - 1 개

(2) 15개

01

[정답] 21개

[풀이] 칸의 개수별로 나누어 세어 보면 다음과 같습니다.

1개 - 6 개

2개 붙인 사각형 - 5 개

3개 붙인 사각형 - 4 개

4개 붙인 사각형 - 3 개

5개 붙인 사각형 - 2 개

6개 붙인 사각형 - 1 개

70쪽

02

[정답] 21개

[풀이] 칸의 개수별로 나누어 세어 보면 다음과 같습니다.

1개 - 7 개

2개 붙인 사각형 - 8 개

3개 붙인 사각형 - 3 개

4개 붙인 사각형 - 2 개

6개 붙인 사각형 - 1 개

03

[정답] 12개

[풀이] 칸의 개수별로 나누어 세어 보면 다음과 같습니다.

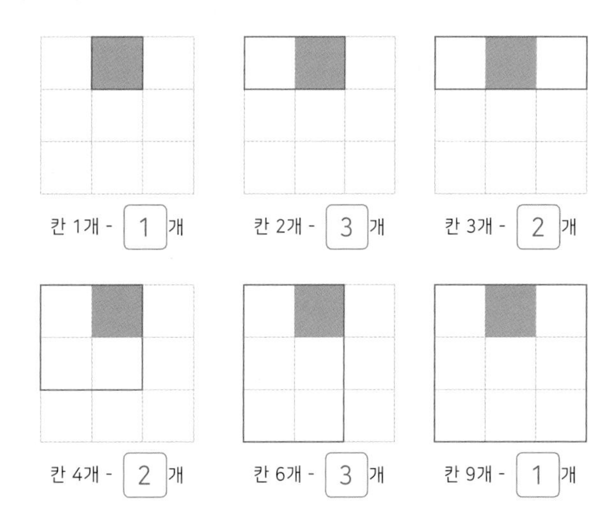

71쪽

탐구 주제 2 점판 위의 도형의 개수

정삼각형과 정사각형이 완전히 포개어 지도록 접는 선의 개수를 각각 구하시오.

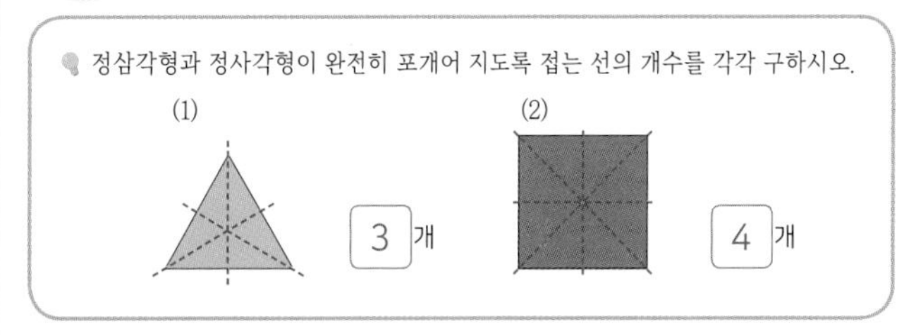

72쪽

탐구 유형 2-1 점을 이은 도형

[정답]

(1)

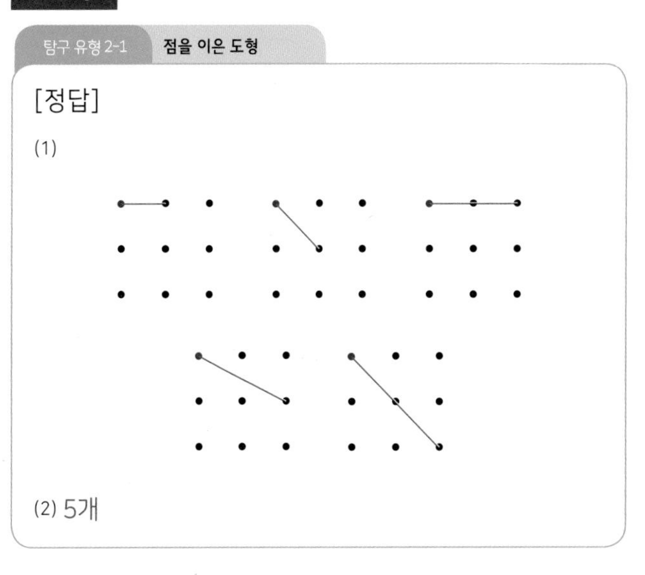

(2) 5개

73쪽

[정답] 7개

[풀이]

시계 바늘이 도는 방향으로 시작점을 순서대로 선택하면 빨간색 선분 길이의 선분 7개를 아래와 같이 그릴 수 있습니다. 빨간색 점은 시작점입니다.

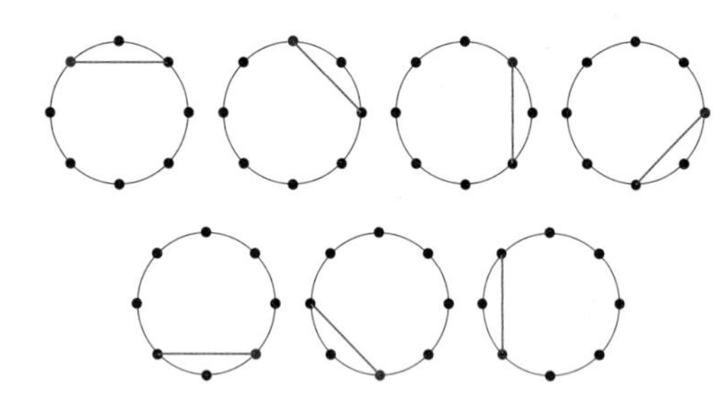

[정답] 5개

[풀이] 다음과 같이 5개를 그릴 수 있습니다.

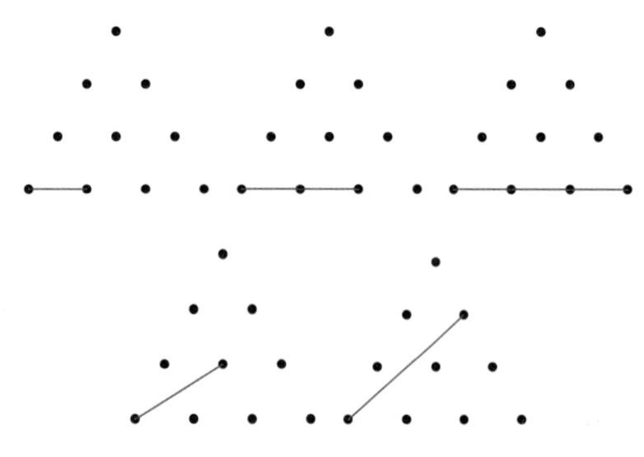

[정답]

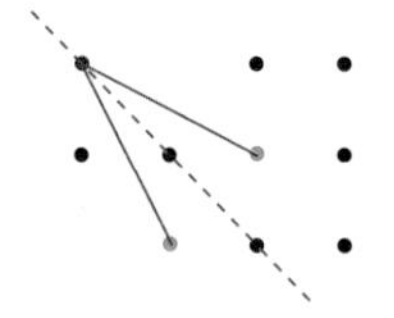

[풀이]

점선을 기준으로 서로 같은 거리에 있는 점을 끝점으로 하는 선분을 찾습니다. 끝점으로 2개의 파란 점이 가능합니다.

74쪽

탐구 유형 2-2 **점판 위의 정사각형**

[정답]

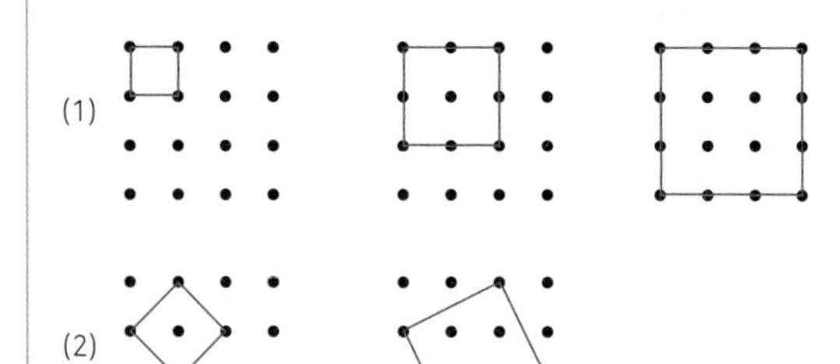

(3) 아래의 선분을 더 그릴 수 있지만 이 선분들을 한 변으로 하는 정사각형은 그릴 수 없습니다.

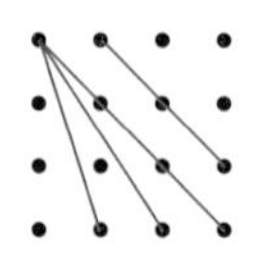

75쪽

[정답]

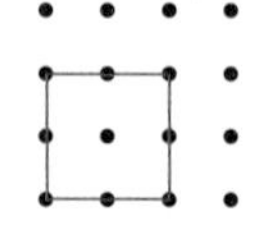

[정답] 4개

[풀이] 아래와 같이 4개의 정사각형을 그릴 수 있습니다.

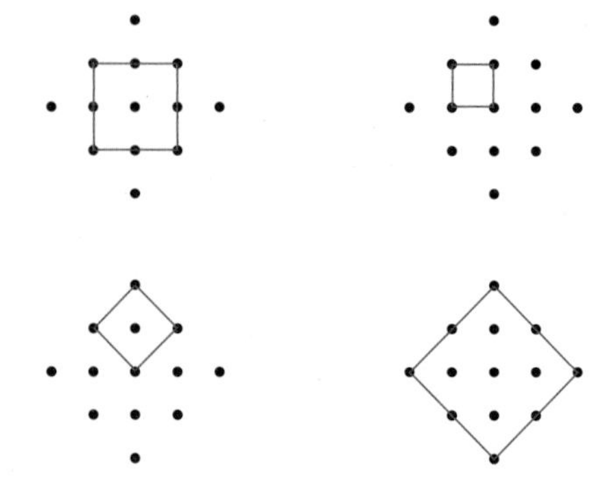

03

[정답]

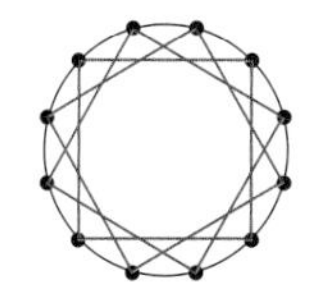

[풀이] 점을 4개씩 묶어 정사각형을 3개 그릴 수 있습니다.

76쪽

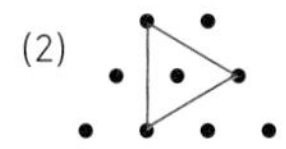

탐구 유형 2-3 점판 위의 정삼각형

[정답]

(1)

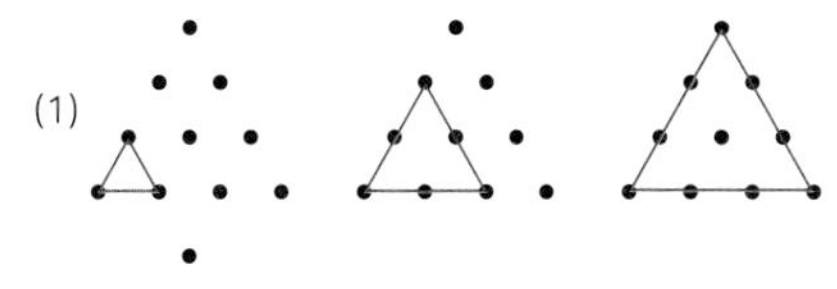

(2)

(3) 아래의 선분을 더 그릴 수 있지만 이 선분을 한 변으로 하는 정삼각형은 그릴 수 없습니다.

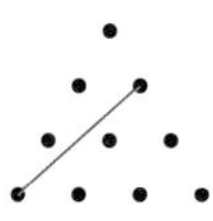

77쪽

01

[정답] 3개

[풀이]

아래의 정삼각형을 그릴 수 있습니다.

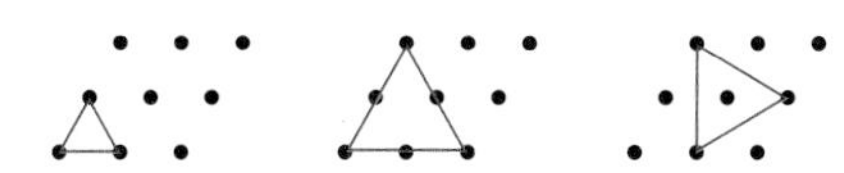

02

[정답] 3개

[풀이]

아래의 정삼각형을 그릴 수 있습니다.

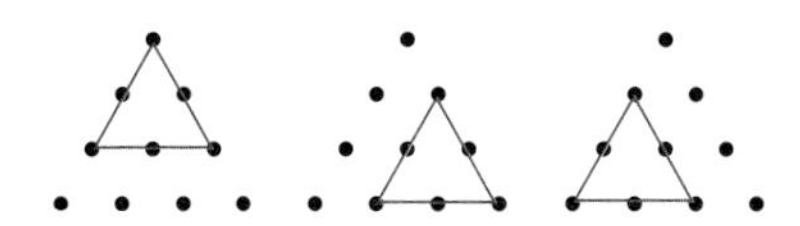

03

[정답] 9개

[풀이]

정삼각형 1개를 그리기 위해서는 점 3개가 필요합니다. 3개의 정삼각형을 그리기 위해서는 원 위에 3의 3배인 9개의 점이 일정한 간격으로 있어야 합니다.

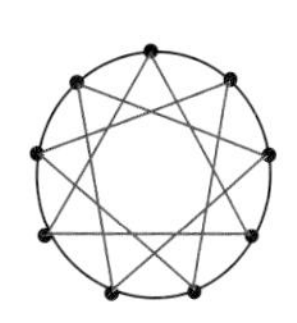

78쪽

TOP 사고력

01

[정답] 삼각형 : 6개 사각형 : 1개

[풀이]

한 번씩 펼치는 순서대로 자른 선을 그리면 다음과 같습니다.

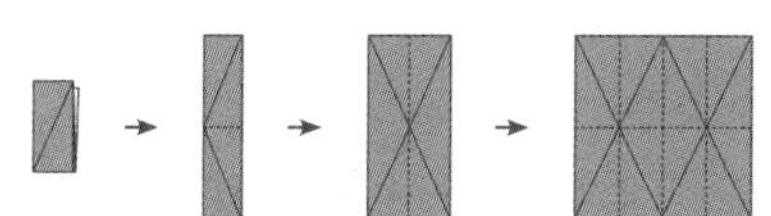

02

[정답] 6개

[풀이]

빨간 선분을 지나는 선분은 다음과 같이 6개이고, 이 선분을 한 변으로 하는 정삼각형을 1개씩 그릴 수 있습니다.

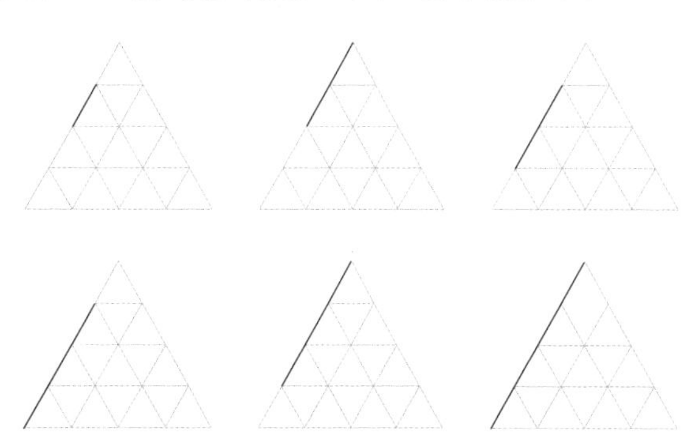

79쪽

03

[정답]

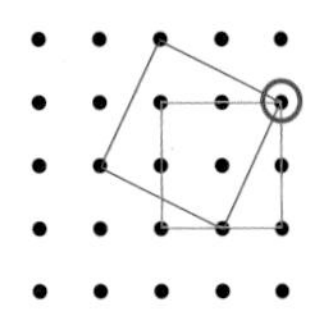

[풀이]

주어진 선을 따라 그릴 수 있는 정사각형은 다음과 같습니다.

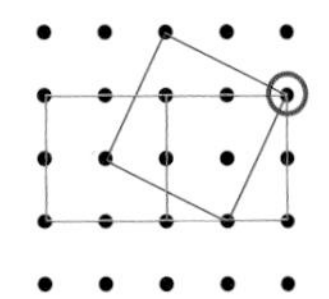

04

[정답] 6개

[풀이]

빨간색 선분을 한 변으로 하는 정사각형은 다음과 같습니다.

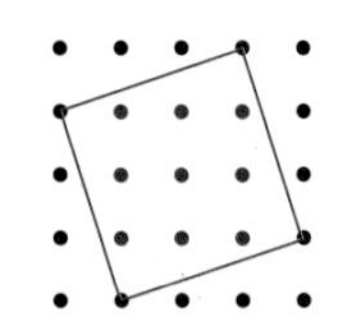

이 정사각형과 만나지 않는 정사각형의 개수를 크기별로 세어 보면 다음과 같습니다.

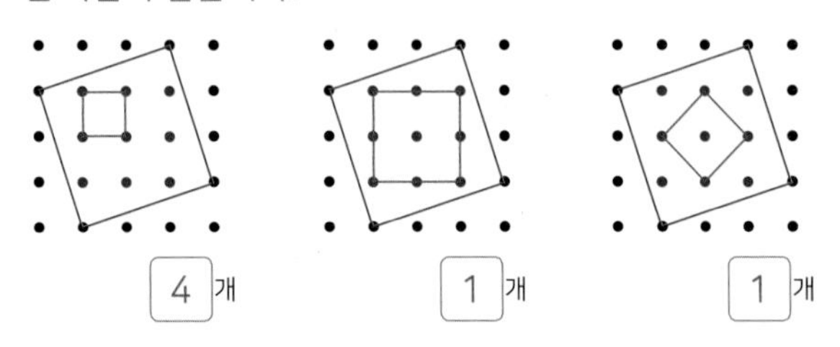

TOP 사고력 쑥쑥

81쪽

1. 배수와 나머지

01

[정답] (1) 9번째 짝수 (2) 32번째 홀수
(3) 50번째 홀수 (4) 27번째 짝수

[풀이]

63, 99의 짝꿍수는 각각 64, 100이고 짝꿍수를 반으로 가르면 각각 32, 50입니다. 18, 54를 반으로 가르면 각각 9, 27입니다.

02

[정답] ■-24개

[풀이]

전체 사각형의 개수는 25번째 홀수와 같으므로 49개입니다. 파란색은 짝수 번째에만 있는데 49보다 작은 짝수 중 가장 큰 것은 48이므로 파란색 사각형의 개수는 48을 반으로 가른 24개입니다.

82쪽

03

[정답] 짝수

[풀이]

첫 쪽과 마지막 쪽의 오른쪽 왼쪽이 같으면 읽은 쪽수는 홀수, 다르면 짝수가 됩니다. 각 사람이 읽은 쪽수의 홀짝은 다음과 같습니다.

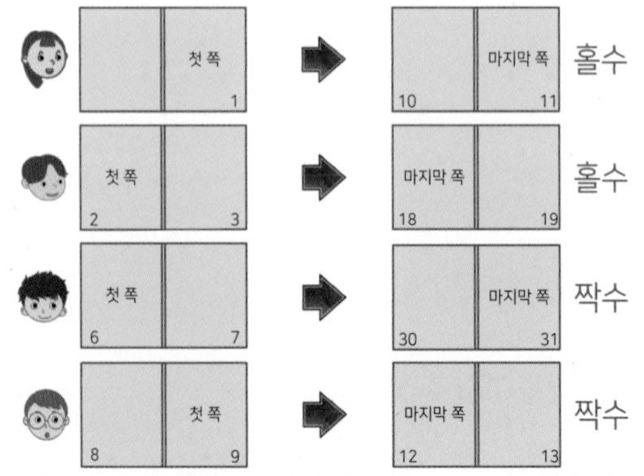

읽은 쪽수가 홀수인 사람이 2명이므로 4명이 읽은 쪽수의 합은 짝수입니다.

04

[정답] (1) 3개  4개  8개  11개

[풀이]

과자 봉지가 홀수 개 있으므로 한 봉지에 과자가 짝수 개 들어 있을 때에만 과자의 개수의 합이 짝수입니다.

83쪽

05

[정답] 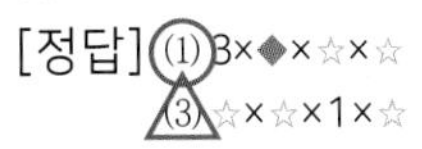 

[풀이] (3)번 식만 홀수끼리 곱합니다.

06

[정답]

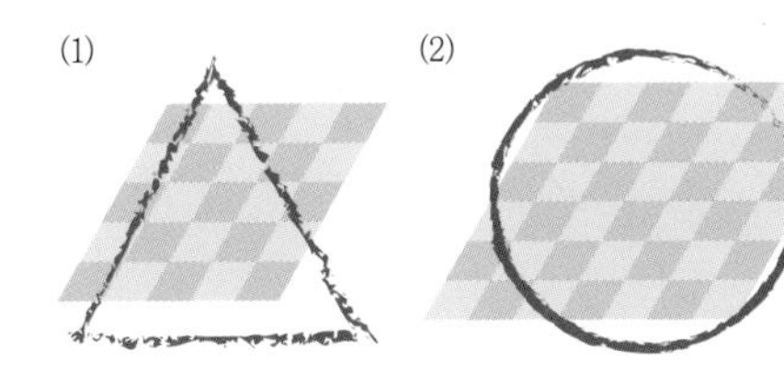

[풀이]

가로줄 또는 세로줄을 2개씩 묶으면 두 가지 색의 칸의 개수가 같기 때문에 줄의 개수가 짝수인 것은 두 가지 색의 칸의 개수가 같습니다

84쪽

07

[정답]

(1)

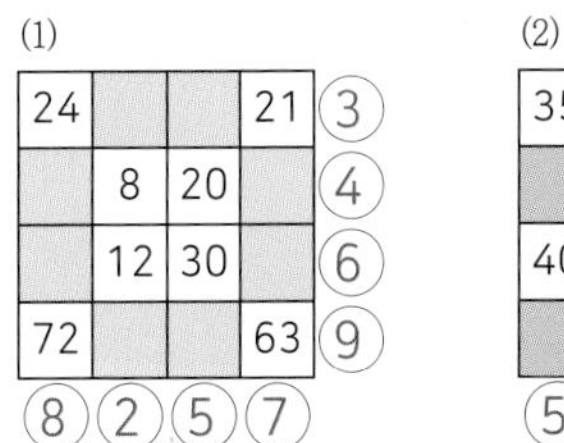

(2)

35	14			⑦
		27	18	③
40	16			⑧
		36	24	④
⑤	②	⑨	⑥	

[풀이] 5, 7의 배수가 있는 줄의 ○부터 채웁니다.

07

[정답]

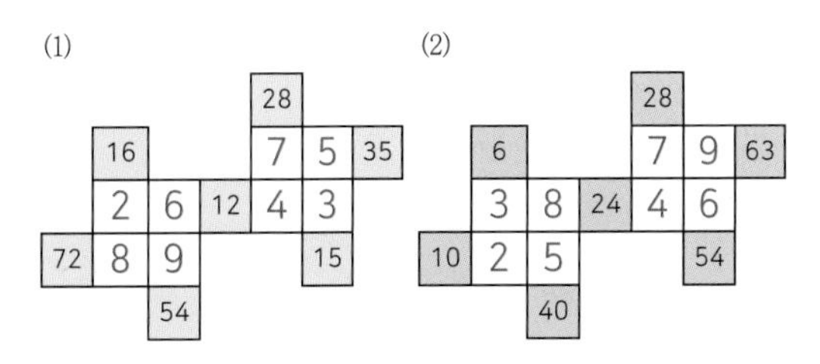

[풀이] 5, 7의 배수가 있는 줄의 □부터 채웁니다.

85쪽

09

[정답]

(1) 4 × 2 = 8 　 7 × 9 = 6 3

(2) 3 × 4 = 1 2 　 8 × 7 = 5 6

(3) 6 × 9 = 5 4 　 7 × 3 = 2 1

[풀이]

(1), (2)번은 오른쪽 식부터, (3)번은 왼쪽 식부터 채웁니다.

10

[정답] (1) 27: 6 열 　 (2) 35: 7 열

(3) 19: 5 열 　 (4) 41: 6 열

[풀이]

7을 더 이상 뺄 수 없을 때까지 빼고 남는 수를 구하면 (1)번부터 순서대로 6, 0, 5, 6입니다.

86쪽

11

[정답] 1개

[풀이] 4를 더 이상 뺄 수 없을 때까지 빼면 3이 남습니다.

12

[정답]

1열	2열	3열	4열	5열
1	2	3	4	5
6	7	8		

➡

㉠	㉡	㉢	㉣	㉤
1				
			8	
11				15
	17			
		24		

[풀이]

5를 더 이상 뺄 수 없을 때까지 빼면 24는 4, 8은 3이 남습니다.

87쪽

13

[정답] (1) 7 + 12 + 9 + 13 + 1 　 (2) 18 + 23 + 35 + 6 + 2

[풀이]

□를 제외한 덧셈식의 각 수에서 6을 더 이상 뺄 수 없을 때까지 빼고 남은 수를 더하면 다음과 같습니다.

(1) 1 + 0 + 3 + 1 = 5 　 (2) 0 + 5 + 5 + 0 = 10

(1)번, (2)번 식의 값에 각각 1, 2를 더하면 6의 배수입니다.

14
[정답] 3

[풀이]
5를 더 이상 뺄 수 없을 때까지 빼면 왼쪽의 수는 3, 오른쪽의 수는 4가 남습니다. 남는 수끼리 더하면 7이고 여기에 3을 더 더하면 5의 배수가 됩니다.

88쪽

15
[정답] 5열

[풀이]
○와 △에 6을 더 이상 뺄 수 없을 때까지 빼면 각각 1, 3이 남습니다. 1, 3으로 만든 두 수의 덧셈식의 값으로 가능한 것은 2, 4, 6입니다.

16
[정답] 3

[풀이]
원래 끈은 1, 2, 3이 4보다 1개 많이 있고, 잘라낸 끈은 1, 2가 1개 많이 있습니다. 따라서, 남은 끈은 3만 1, 2, 4보다 1개 많이 있습니다.

89쪽

2. 숫자 카드와 수

01
[정답] 5개

[풀이]
조건에 맞는 수를 각 자리의 숫자별로 분류하여 세어봅니다.
백의 자리가 7인 수: 704, 740, 744
백의 자리가 4, 십의 자리가 7인 수: 470, 474

02
[정답] 10개

[풀이]
조건에 맞는 수를 각 자리의 숫자별로 분류하여 세봅니다.
백의 자리가 3, 십의 자리가 7인 수: 374, 379
백의 자리가 3, 십의 자리가 9인 수: 394, 397
백의 자리가 4인 수: 437, 439, 473, 479, 493, 497

90쪽

03
[정답]

04
[정답] 390

[풀이]
5번째 작은 수까지 순서대로 쓰면 다음과 같습니다.
306, 309, 360, 369, 390

91쪽

05
[정답] 525

[풀이]
4번째 작은 수까지 순서대로 쓰면 다음과 같습니다.
255, 259, 295, 525

06
[정답] 9번째

[풀이]
451보다 작은 수의 개수를 각 자리의 숫자별로 분류하여 세어보면 다음과 같습니다.
백의 자리가 1인 수: 6개
백의 자리가 4, 십의 자리가 1인 수: 2개

92쪽

07
[정답] 6번째

[풀이]
602보다 큰 수의 개수를 각 자리의 숫자별로 분류하여 세어보면 다음과 같습니다.
백의 자리가 6, 십의 자리가 5인 수: 2개
백의 자리가 6, 십의 자리가 2인 수: 2개
백의 자리가 6, 십의 자리가 0인 수: 1개

08

[정답] 4번째

[풀이]

421보다 큰 수 중 십의 자리가 2인 수의 개수를 각 자리의 숫자별로 분류하여 세어보면 다음과 같습니다.

백의 자리가 7인 수: 2개

백의 자리가 4인 수: 1개

93쪽

09

[정답] 5

[풀이]

가장 큰 숫자와 가장 작은 숫자의 합이 8이고 두 번째로 큰 숫자와 세 번째로 큰 숫자의 합도 8입니다. 1과 7을 합쳐 8이 되므로 3과 뒤집어진 카드의 숫자를 합친 값도 8이 되어야 합니다.

10

[정답] 6, 7, 8

[풀이]

두 번째로 작은 세 자리 수를 만들면 차례로 가장 작은 숫자, 둘째로 작은 숫자, 넷째로 작은 숫자를 쓰면 됩니다. 따라서, 뒤집어 놓은 카드는 셋째로 작은 숫자이고, 5보다 크고, 9보다 작습니다.

94쪽

11

[정답] 609

[풀이]

반 바퀴 돌려도 숫자로 보이는 숫자는 0, 1, 2, 5, 6, 8, 9입니다. 이 중 6을 반 바퀴 돌리면 9로, 9를 반 바퀴 돌리면 6으로 보입니다.

따라서 백의 자리, 일의 자리 숫자는 각각 6, 9이고 십의 자리에는 남은 숫자 중 가장 작은 0이 오게 됩니다.

12

[정답] 6

[풀이]

892를 반 바퀴 돌리면 268입니다. 숫자 6은 892를 만드는데 사용되지 않으므로 파란색 카드의 숫자는 6입니다.

95쪽

13

[정답] 102

[풀이]

반 바퀴 돌려도 숫자로 보이는 숫자는 0, 1, 2, 5, 6, 8, 9입니다. 이 중 4개의 수를 더한 값이 8이 되려면 0, 1, 2, 5를 고르면 됩니다.

14

[정답] (1) 10개 (2) 9개

[풀이]

(1)번에서 일의 자리 숫자는 백의 자리 숫자와 같은 7이고 십의 자리에는 모든 숫자가 다 올 수 있습니다.

(2)번에서 백의 자리 숫자는 십의 자리 숫자와 같은 4이고 천의 자리에는 0을 제외한 모든 숫자가 다 올 수 있습니다. 일의 자리 숫자는 천의 자리 숫자와 같습니다.

96쪽

15

[정답] 9개

[풀이]

천의 자리 숫자는 일의 자리 숫자와, 십의 자리 숫자는 백의 자리 숫자와 같으므로 백의 자리, 일의 자리 숫자만 따지면 됩니다. 백의 자리 숫자가 더 큰 경우와 작은 경우로 나누어 조건에 맞는 수를 구하면 다음과 같습니다.

백의 자리 숫자가 더 큰 수: 1661, 2772, 3883, 4994

백의 자리 숫자가 더 작은 수: 5005, 6116, 7227, 8338, 9449

16

[정답] 884

[풀이]

백의 자리 숫자와 일의 자리 숫자가 같기 때문에 같은 숫자가 적힌 카드가 2장 필요합니다. 따라서 연두색 카드에 적힌 숫자는 1, 4, 8 중 하나입니다.

연두색 카드의 숫자별로 세 번째 큰 수를 구하면 연두색 카드의 숫자가 1일 때 811, 4일 때 814, 8일 때 848입니다. 따라서 연두색 숫자에는 8이 적혀있습니다.

97쪽

3. 거울에 비친 모양

01

[정답]

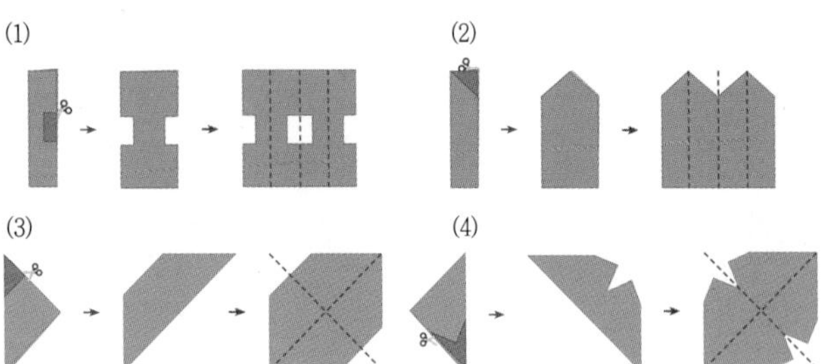

[풀이] 자른 종이를 한 번씩 펼치면 위와 같습니다.

02

[정답]

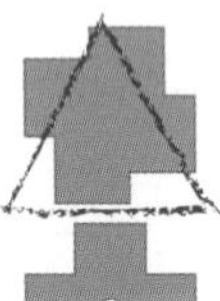

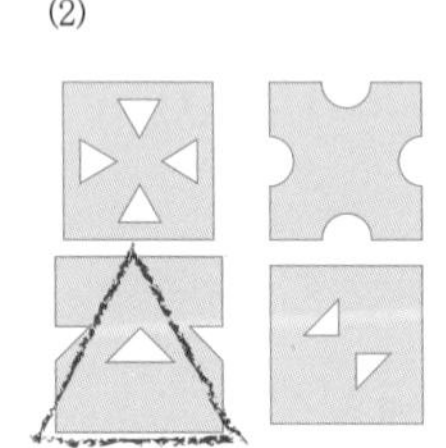

[풀이]

△표 한 색종이를 접으면 다음과 같이 겹치지 않는 구멍이 있습니다.

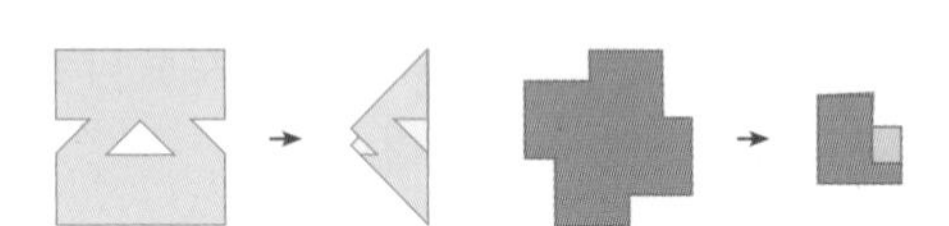

98쪽

03

[정답]

[풀이] ○표 한 색종이를 두번 접으면 다음과 같습니다.

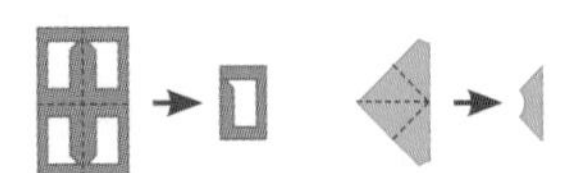

04

[정답]

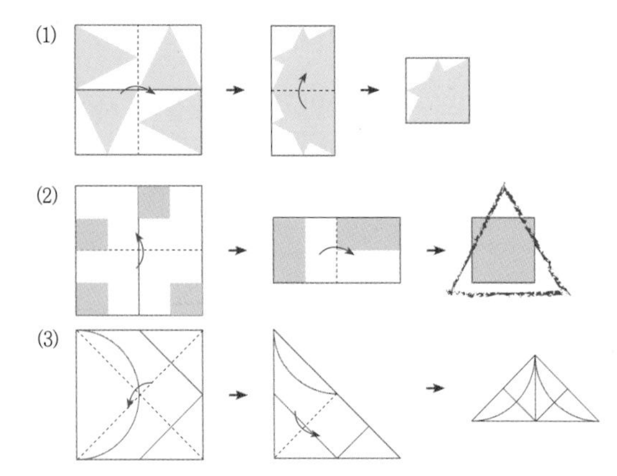

[풀이]

정답의 한 번 접은 종이를 참고합니다. 두 번째 투명 종이를 두 번 접으면 다음과 같습니다.

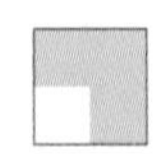

99쪽

05

[정답]

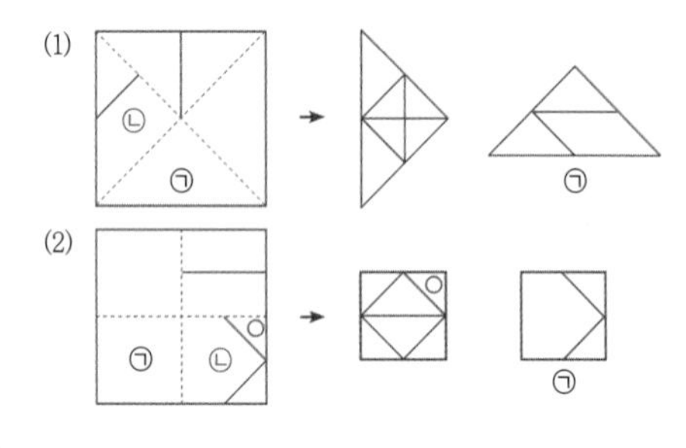

[풀이]

투명 종이를 접으면 ㉡에 모이게 됩니다.

06

[정답]

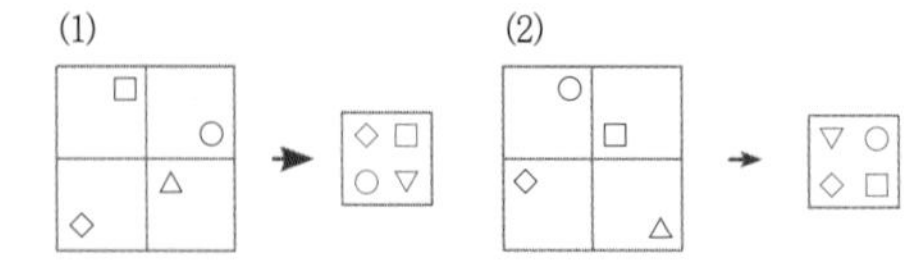

[풀이] 예시의 종이를 접으면 ㉠에 모입니다.

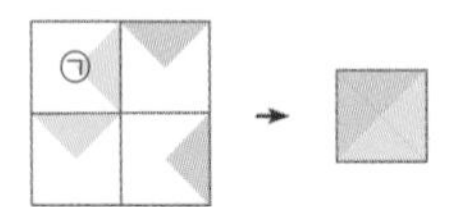

100쪽

07

[정답]

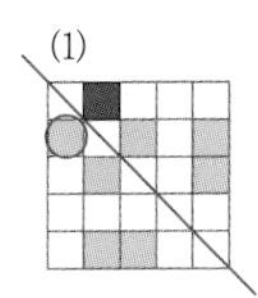

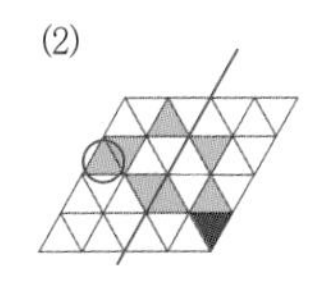

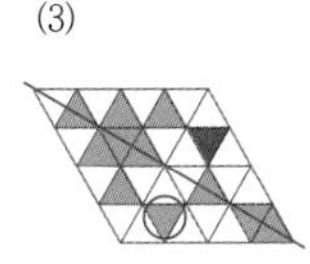

[풀이]

○표 한 칸만 접어서 겹치는 색칠된 칸이 없으므로 위와 같이 색칠하면 됩니다.

08

[정답]

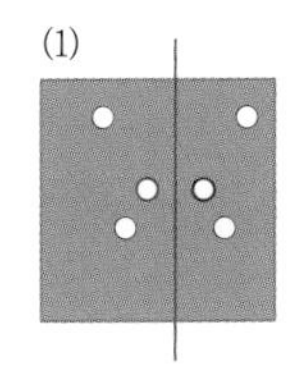

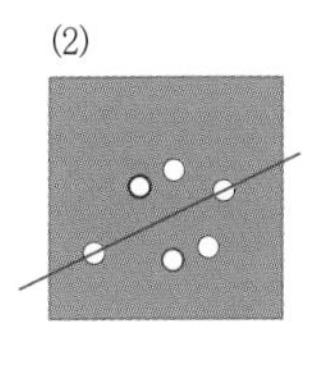

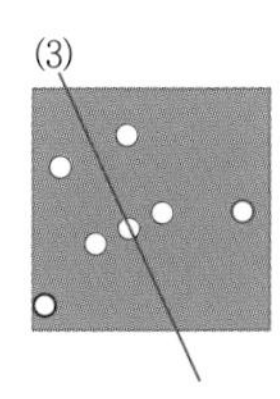

[풀이]

파란색 구멍은 짝이 되는 구멍이 있어야 하지만 없습니다. 빨간색 구멍을 그려 접는 선을 위와 같이 그릴 수 있습니다.

101쪽

09

[정답]

[풀이] ○표 한 시계만 위에 놓은 거울로 본 시계입니다.

10

[정답] 4시 15분

[풀이]

거울에 비친 시계를 왼쪽과 오른쪽을 바꿔 그리면 5시를 가리킵니다. 왼쪽의 시계와 오른쪽의 시계의 시각의 차는 1시간 30분 이므로 가운데 시계는 왼쪽의 시각에서 1시간 30분을 반으로 가른 45분을 더해 구합니다.

102쪽

11

[정답] 3시간 후

[풀이]

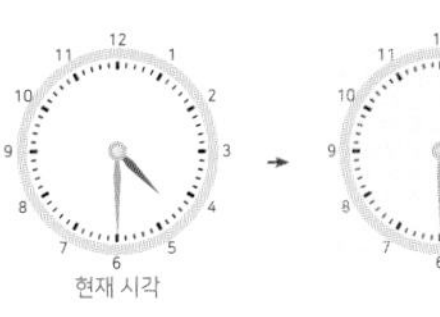

두 번째 시계를 봤을 때의 거울에 비친 시계를 왼쪽과 오른쪽을 바꿔 그리면 7시 30분을 가리킵니다. 따라서 두 시계를 본 시각은 3시간 차이납니다.

12

[정답] 6시, 12시

[풀이]

원래 시계와 거울 속 시계가 가리키는 시각을 합하면 12시 또는 24시입니다. 12시를 반으로 가르면 6시, 24시를 반으로 가르면 12시이기 때문에 거울로 봐도 원래 시계와 똑같은 시각은 6시, 12시입니다.

103쪽

13

[정답]

1+2+5=8

[풀이]

옆의 거울로 봐도 숫자로 보이는 디지털 숫자는 0, 1, 2, 5, 8이 있습니다. 이 중 서로 다른 수 4개를 골라 문제의 덧셈식을 만들 수 있는 수는 1, 2, 5, 8입니다.

14

[정답] 2시 20분

[풀이]

실제 디지털 시계는 2시 10분을 나타냅니다.

01:50 → 02:10

3시간 40분 후는 2시 10분+3시간 40분=5시 50분이므로 거울 속의 시계는 2시 20분을 나타냅니다.

05:50 → 02:20

104쪽

15

[정답] 582

[풀이]

거울로 봐도 똑같이 보이는 숫자는 0, 1, 8이고 2는 5로, 5는 2로 보입니다. 조건을 만족하는 세 자리 수를 순서대로 4개 쓰면 다음과 같습니다.

888, 818, 808, 582

15

[정답] 5월 20일

[풀이] 조건을 만족하는 날짜는 다음과 같습니다.

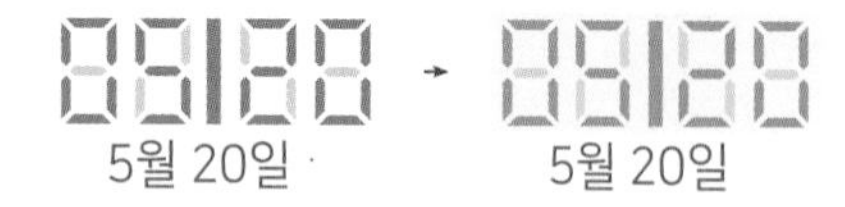

105쪽

4. 도형의 개수

01

[정답]

[풀이] 다음과 같이 자르는 선을 구할 수 있습니다.

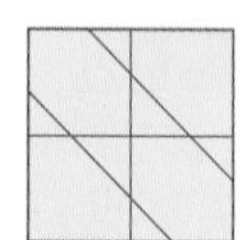

02

[정답]

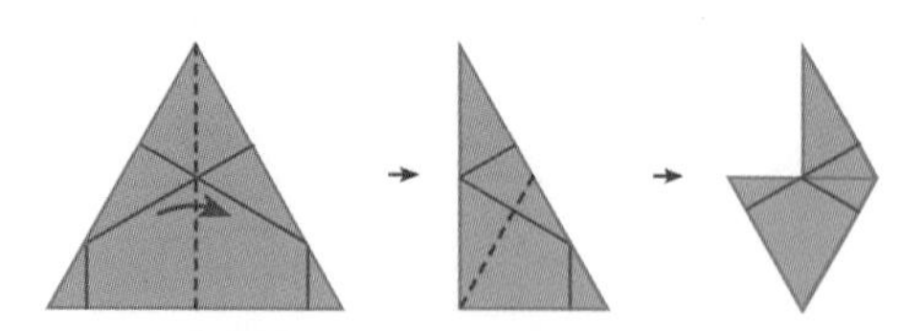

106쪽

03

[정답]

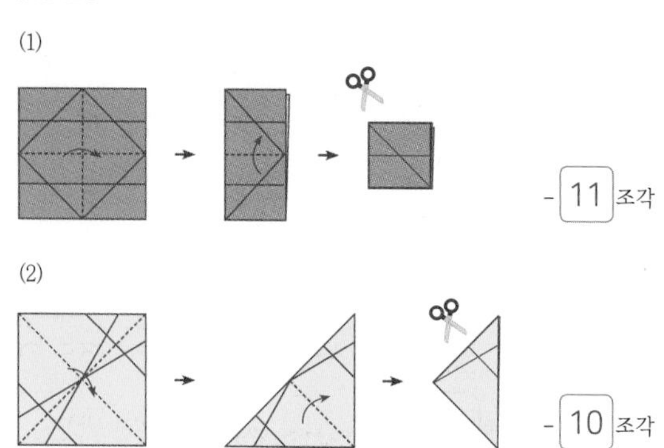

[풀이] 정답의 자른 선 참고

04

[정답] 10개

[풀이]

삼각형을 모양대로 분류하면 칸 1개, 2개로는 2가지, 3개로는 1가지의 삼각형을 만들 수 있습니다. 다음과 같이 셀 수 있습니다.

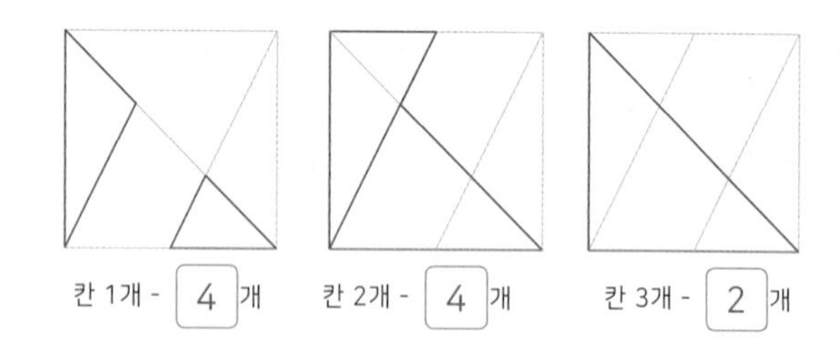

107쪽

05

[정답] 3개

[풀이] 다음과 같이 3개 그릴 수 있습니다.

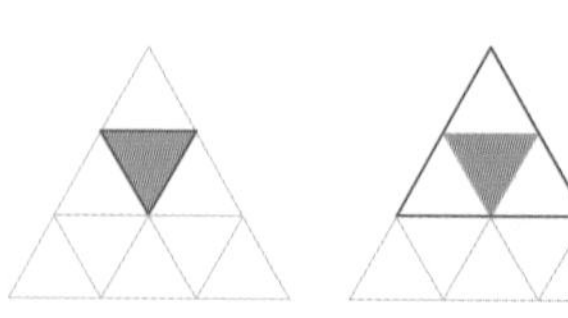
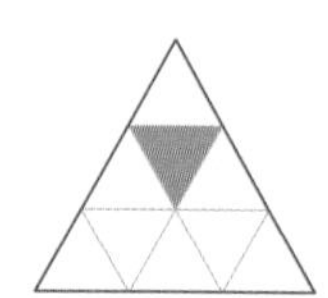

06
[정답] 11개

[풀이] 칸의 개수별로 나누어 세어보면 다음과 같습니다.

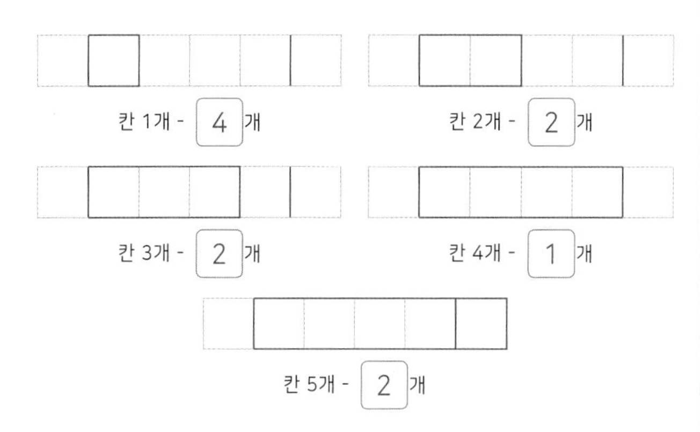

108쪽

07
[정답] (1) 10개 (2) 11개

[풀이] 칸의 개수별로 나누어 세어보면 다음과 같습니다.

(1) 1개 - 5 개 2개 붙인 사각형 - 4 개
3개 붙인 사각형 - 1 개

(2) 1개 - 5 개 2개 붙인 사각형 - 4 개
3개 붙인 사각형 - 2 개

08
[정답] 6개

[풀이] 칸의 개수별로 나누어 세어보면 다음과 같습니다.

2개 붙인 사각형 - 3 개 4개 붙인 사각형 - 2 개
6개 붙인 사각형 - 1 개

109쪽

09
[정답] 7개

[풀이] 다음과 같이 7개 그릴 수 있습니다.

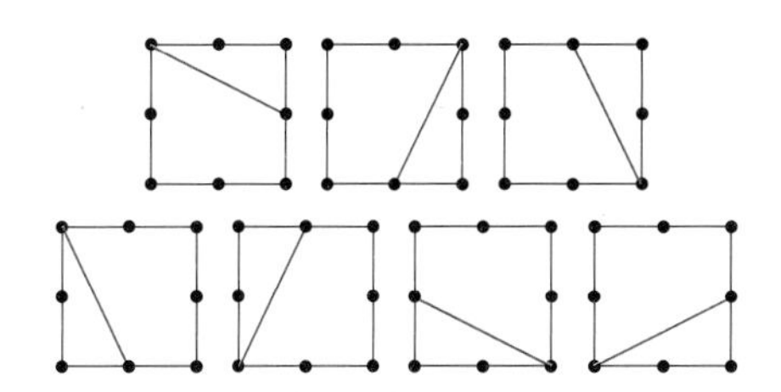

10
[정답]

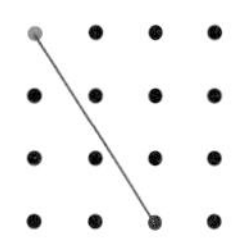

[풀이]
문제에서 그린 선분의 시작점과 끝점은 옆으로 3칸, 위아래로 2칸 떨어져 있습니다. 이와 같이 위로 3칸, 왼쪽으로 2칸 떨어진 점에서 파란색의 끝점을 찾을 수 있습니다.

110쪽

11
[정답] 3개

[풀이]
다음 3개의 선분을 한 변으로 하는 정사각형을 각각 그릴 수 있습니다.

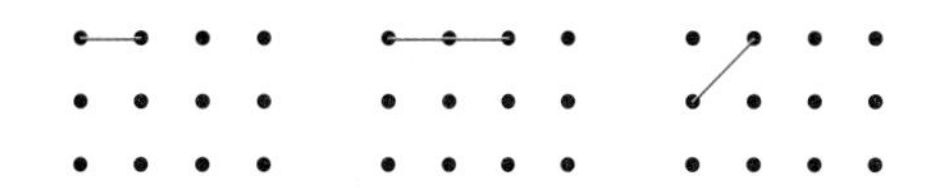

12
[정답]

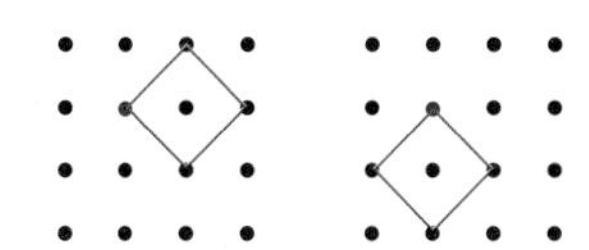

[풀이] 한 변이 다음과 같이 빨간 점에서 시작해야 합니다.

111쪽

13
[정답]

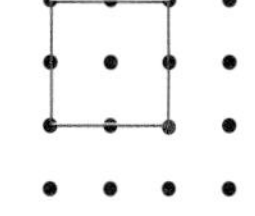

14

[정답]

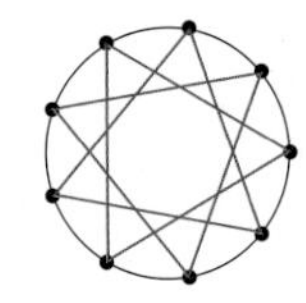

[풀이]

정삼각형 1개를 그리기 위해서 점 3개가 필요하기 때문에 3의 3배인 점 9개로 정삼각형 3개를 그릴 수 있습니다. 3칸 떨어진 점을 서로 이어 다음과 같이 한 변을 만들 수 있습니다.

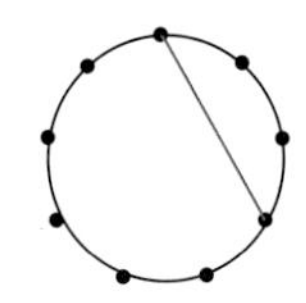

112쪽

15

[정답]

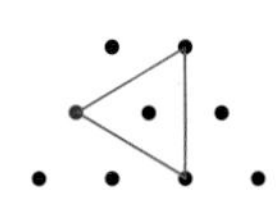

[풀이]

빨간 선분과 길이가 같은 아래의 선분을 한 변으로 하는 삼각형을 그립니다.

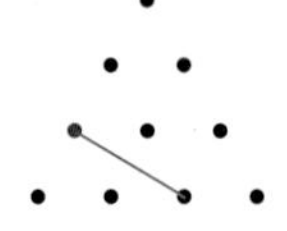

16

[정답] 3개

[풀이] 다음과 같이 3개 그릴 수 있습니다.

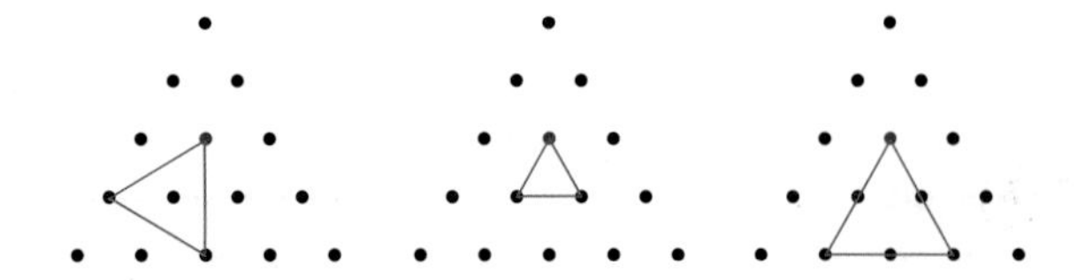

돌려서 수 만들기

돌려서 같은 수로 보이는 것은 ○표, 다른 수로 보이는 것은 △표, 수로 보이지 않는 것은 X표 하였습니다. 십의 자리에 0이 오면 한 자리 수로 읽습니다.

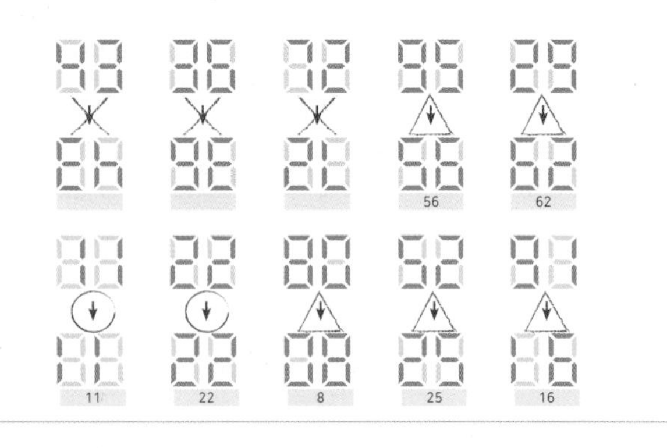

거울 2개로 관찰하기

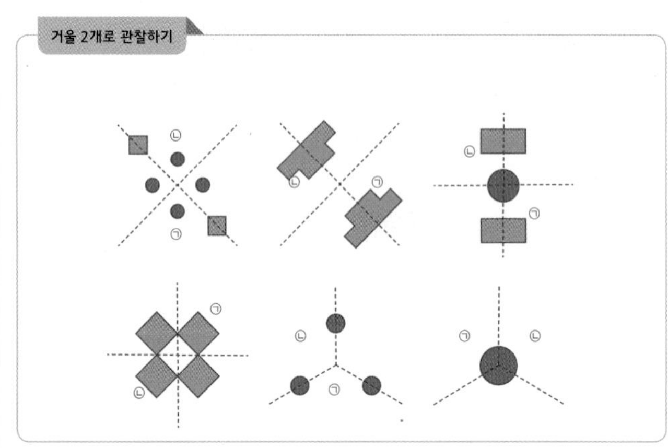

뒤집어서 수 만들기

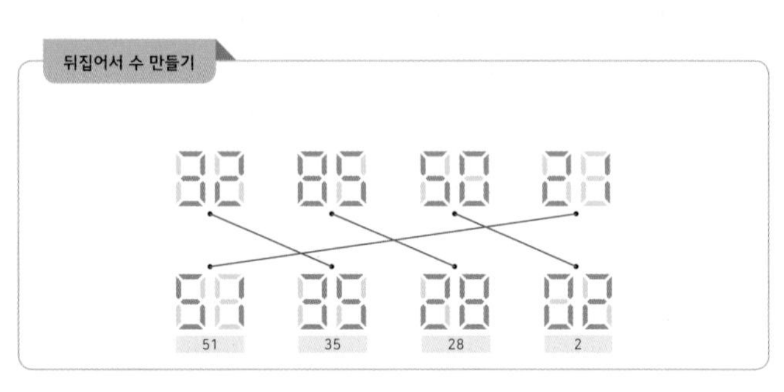

시각 만들기

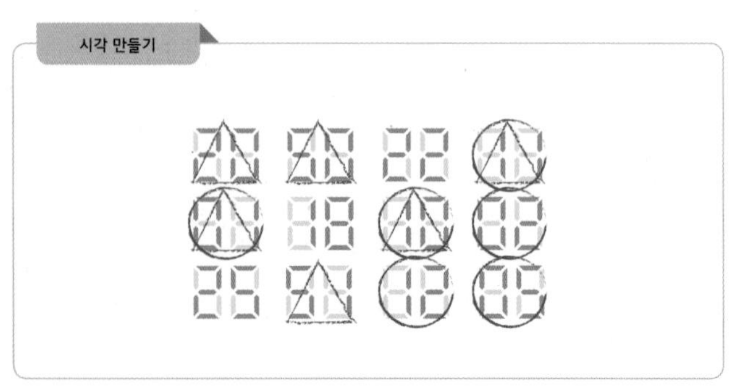

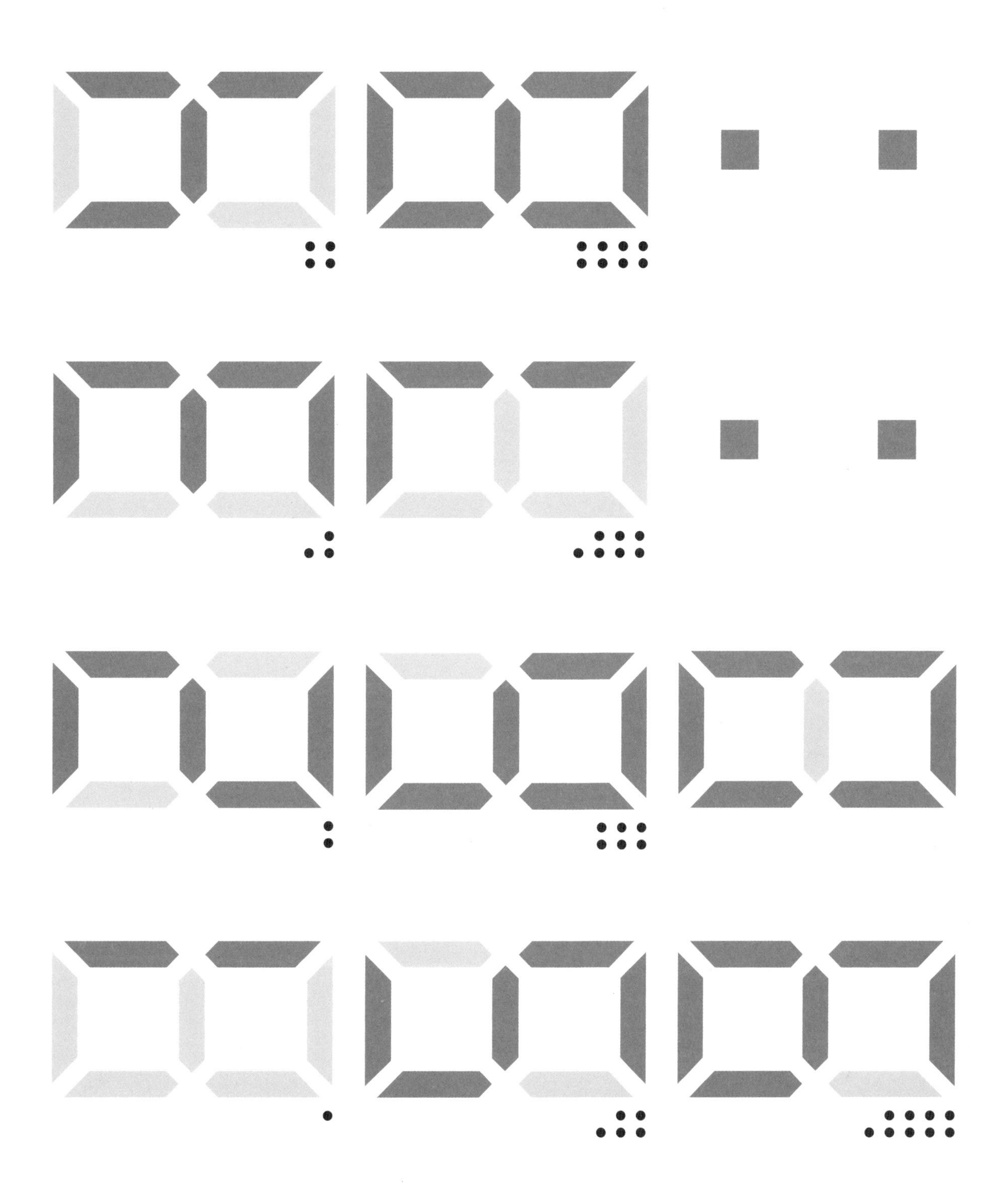

자르는 선

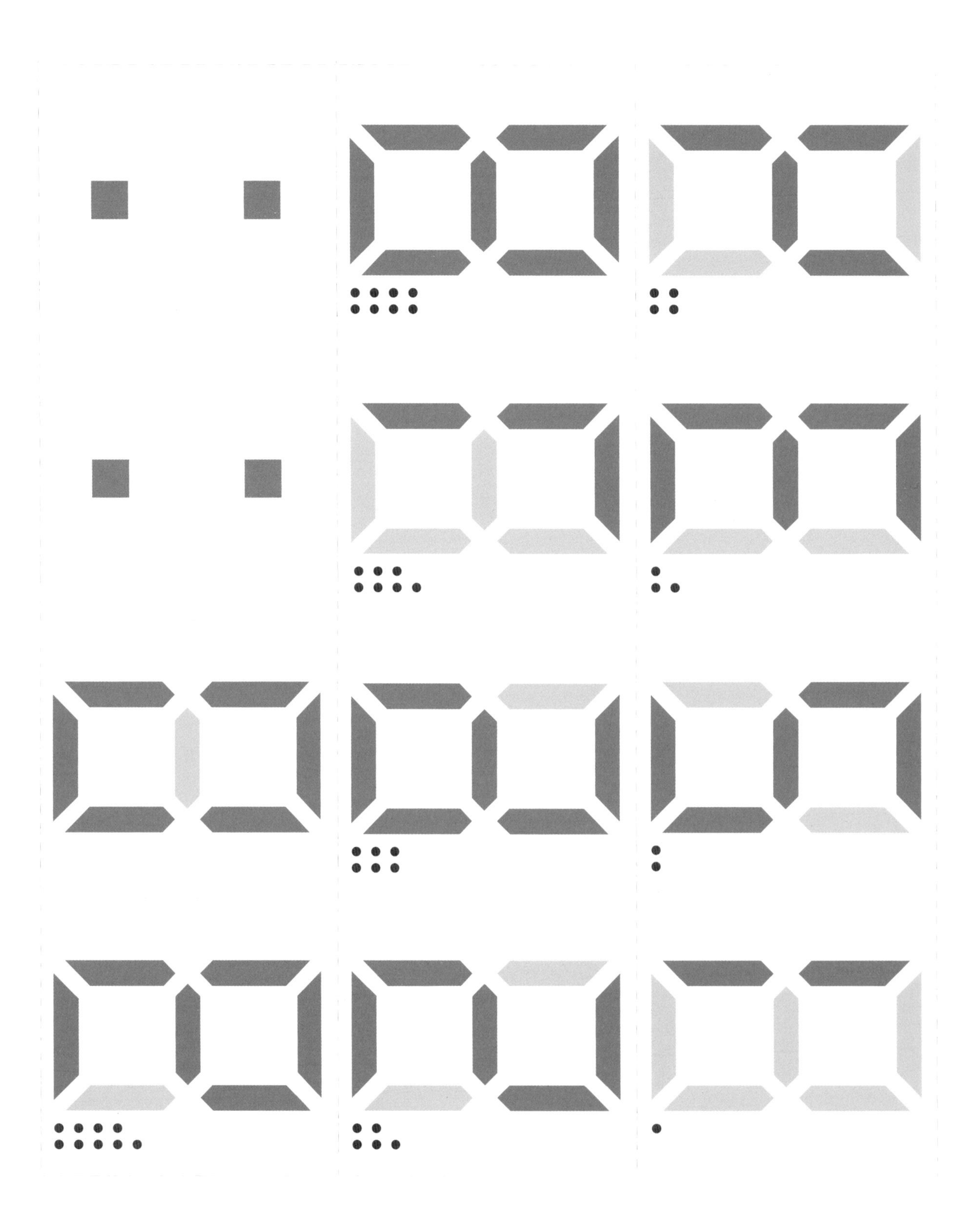

자르는 선

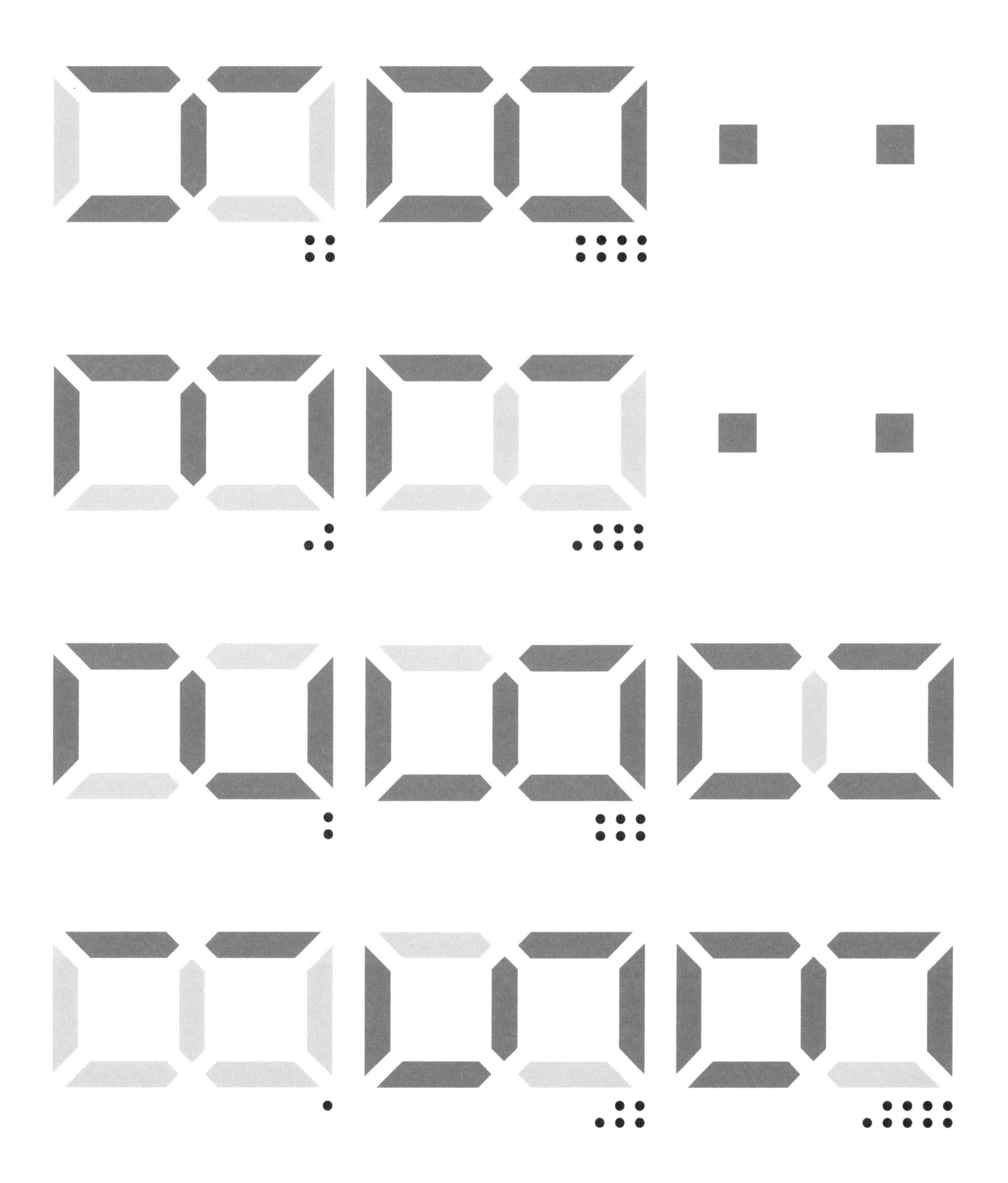

자르는 선

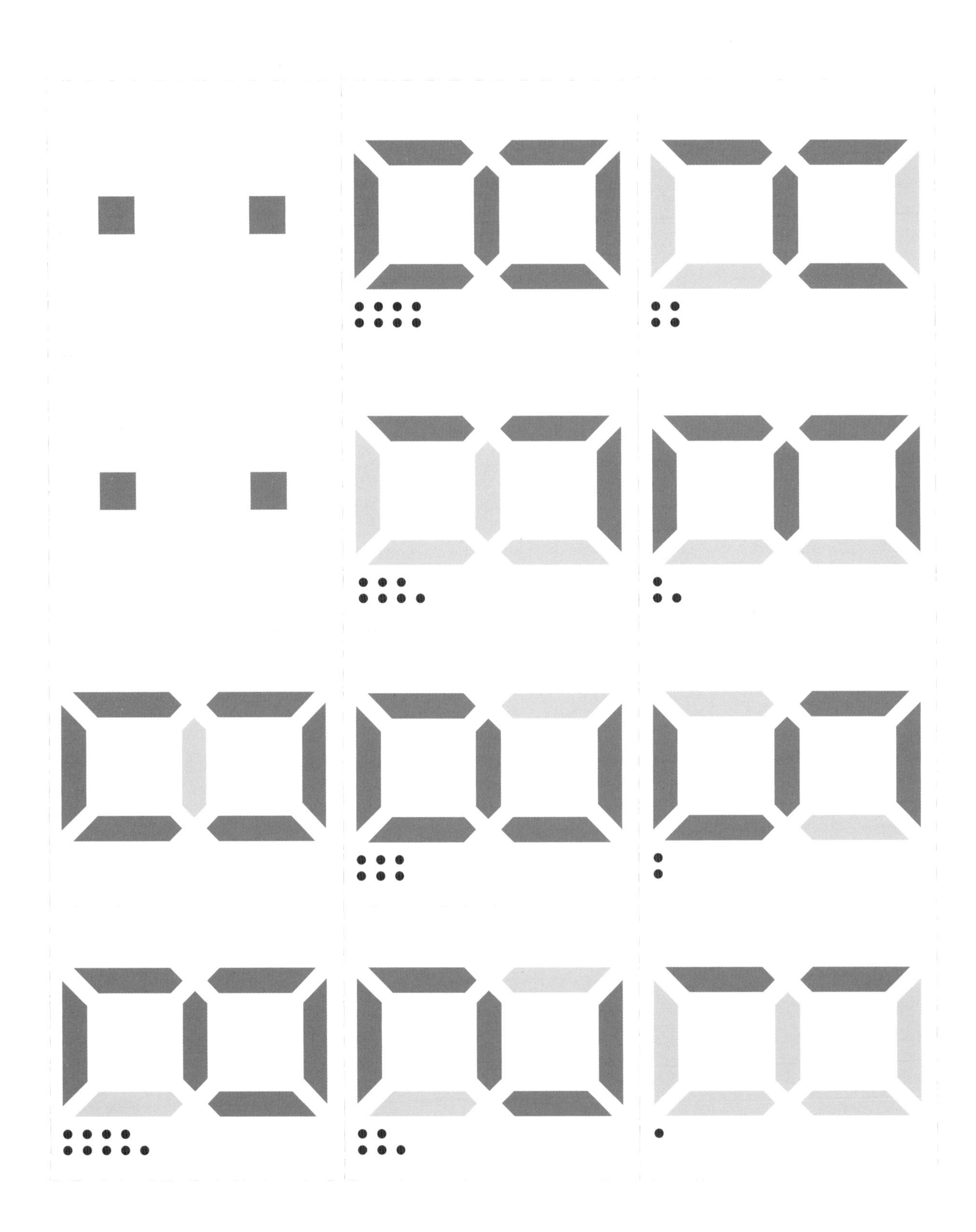

자르는 선